Un monstre et un chaos

Un rêve de glace, roman.

La Cène, roman.

Julien Gracq, la forme d'une vie, essai.

Oholiba des songes, roman.

Le Bleu du temps, roman.

La Condition magique, roman,
Grand Prix du roman de la SGDL.

L'Univers, roman.

Le Nouveau Magasin d'écriture, essai.

Le Nouveau Nouveau Magasin d'écriture, essai.

Palestine, roman,
Prix des cinq continents de la Francophonie ;
Prix Renaudot Poche.

Géométrie d'un rêve, roman.

Vent printanier, nouvelles.

Nouvelles du jour et de la nuit, nouvelles.

Opium Poppy, roman.

Le Peintre d'éventail, roman,
Prix Louis Guilloux ; Grand Prix SGDL
de littérature pour l'ensemble de l'œuvre.

Les Haïkus du peintre d'éventail.

Théorie de la vilaine petite fille, roman.

Corps désirable, roman.

Mā, roman.

Premières neiges sur Pondichéry, roman.

Casting sauvage, roman.

HUBERT HADDAD

UN MONSTRE ET UN CHAOS

Roman

ZULMA
18, rue du Dragon
Paris VIe

C'est arrivé, cela peut donc arriver de nouveau.

PRIMO LEVI

Prologue

Nous étions des jumeaux sans miroir. Lui s'appelait Ariel, le « lion de Dieu », l'archange, et moi Alter, le déjà-vieux-avant-de-naître, le maladif dont on bénit le souffle. Il n'y avait pas de miroir au logis et Shaena devenait presque aveugle à la nuit tombée. Ariel et moi n'avons jamais su de manière certaine si Shaena était notre mère. Si jeune, elle aurait bien pu être une sœur aînée à charge de famille. Peu d'années après notre naissance, il a fallu quitter Lodz précipitamment pour Mirlek, une grosse bourgade informe proche de la ville de Plonsk, dans la voïvodie de Mazovie, de l'autre côté de la Vistule. Un parent de complaisance, forgeron de son état, nous a recueillis et hébergés indéfiniment en ce lointain shtetl. Colosse taciturne qui battait son enclume du matin au soir, l'oncle Warshauer n'était pas riche mais nous reçûmes de lui l'indispensable sans véritable contrepartie : un gîte, l'accès à une fontaine et de quoi ne pas mourir de faim.

Je me souviens de cette grande chambre mansardée au-dessus du vacarme de l'atelier où cohabitaient trois rescapés d'un drame obscur. Un vieil escalier extérieur en bois délavé nous donnait une relative autonomie. Inquiet de son instabilité, le forgeron l'avait consolidé avec des clous à ferrer et quelques plaques d'acier. Nous l'empruntions dix fois par jour pour aller courir dans la rue principale ou derrière les baraquements, du côté des futaies et des champs. Mon frère et moi avions la bride sur le cou malgré les efforts de Shaena pour nous protéger du monde et peut-être aussi de cet inconnu à l'odeur de feu qu'elle nous avait appris à appeler oncle Warshauer. Tout à son labeur, semblant à peine se soucier de notre présence, il garnissait le garde-manger régulièrement dans l'espèce d'arrière-boutique ou de réserve du rez-de-chaussée aménagée en salle de vie. Nous y accédions au moyen d'un sombre, ténébreux escalier intérieur, puits de marches entre deux portes crasseuses. Il était rare de tomber sur l'habitant des lieux, tôt en besogne et enclin à souper après notre passage. Quand cela se trouvait, l'homme assis près du poêle à bois habituellement éteint nous considérait un instant avec une expression de stupeur, comme s'il se demandait ce que nous faisions là, puis ses traits reprenaient cet air d'impassibilité minérale propre aux forçats ou aux cadavres.

Certains soirs au grenier, sans doute pour atténuer l'effroi que l'oncle nous inspirait et pallier son mutisme, Shaena nous racontait par bribes ce qu'elle croyait savoir d'un passé sans archives ni autres témoins connus. Du temps de la Grande Guerre, bien avant notre naissance, quand trois empires se partageaient la Pologne, le jeune Warshauer avait été réquisitionné avec deux autres artisans du fer par l'armée austro-hongroise pour servir au titre de maréchal-ferrant. C'était l'usage d'emmener au front les forgeurs, essentiels à la mobilité de la cavalerie comme de l'artillerie. À la bataille de Kostiuchnowka, lui et ses compagnons brochèrent à tour de bras les sabots des chevaux ou des mules et soignèrent à l'occasion les bêtes blessées qui pouvaient encore l'être, dans la tradition des campagnes d'alors. Jamais n'aura-t-on vu plus vaste abattoir d'équidés. Shaena escamotait l'apocalypse : trois jeunes tambourineurs d'enclume s'en étaient revenus de guerre. En fait, l'oncle Warshauer, seul survivant, rentra l'âme fracassée au shtetl. Il s'était remis à la tâche en automate, allant de la forge à l'enclume tel un jacquemart d'horloge, tenaillant et martelant les métaux chauffés à blanc tandis qu'au-dessus râlait un énorme soufflet. Les yeux dans les étincelles, le forgeron ne semblait voir que les ailes innombrables d'un ange de feu, battues, rebattues et, dans cette gueule de braises, les langues jaillissantes vite déliées comme des lettres hébraïques, comme les lettres du kaddish, hautes, éperdues, aussitôt ravalées ... יִתְגַּדַּל וְיִתְקַדַּשׁ שְׁמֵהּ רַבָּא...

I.

La nuit, Shaena riait parfois sans raison et chanton-
nait au bord des larmes ; elle ne disait rien de la
douleur brûlante, des cœurs mutilés, de cette déchi-
rure d'un monde à l'autre quand un lointain clocher
sonnait minuit. Là-haut, au-dessus de l'atelier, les
jumeaux dormaient dans le même lit sous un vasistas assez large pour voir luire les étoiles lorsque s'ou-
vrait l'océan des nuages.

— Tu dors ? chuchotait alors l'un d'eux, ses yeux
vert d'eau reflétant un croissant de lune. Ce matin la
fille du Rav a dit que tu me ressembles pire qu'un
dibbouk. Et dans la tête, avons-nous aussi les mêmes
choses ?

— Qu'est-ce que tu racontes ? D'abord, c'est pas
malin de demander s'il dort à quelqu'un qui dort.

— On se ressemble comme deux souris ou deux
moineaux, vrai ?

— Tu es bien plus joli que moi, petite souris ! Ne
m'embête plus, j'ai trop sommeil.

— À part Shaena qui voit si mal avec ses yeux
malades, les gens nous embrouillent tout le temps.
Surtout depuis que nous avons grandi. Nous sommes

pareils…

— Non, toi tu as un visage d'ange. Tout doré. Avec une peau de fille. On ne peut pas avoir la même âme.

— La même âme ? répète pensivement Ariel juste avant de perdre conscience.

Alter, cette fois bien éveillé, le suit dans son rêve rien qu'en observant les légers frémissements de ses paupières. Alter n'a pas d'autre miroir que son frère. À Lodz, dans son souvenir, ils formaient une solitude indivisible. Ni lui ni forcément Ariel ne pouvaient se distinguer face à l'entourage. Il y avait certes d'autres visages, des femmes jeunes et vieilles, des hommes aux yeux luisants, beaucoup d'enfants aussi. Il se souvient d'un chat borgne qui errait dans les coins d'ombre, toujours sur le qui-vive, des toiles d'araignée accrochées à ses moustaches. Un chat peut-il être plus important qu'une foule du fond de la mémoire ? Kiti, c'était son nom, avait le même regard vert d'eau zébré de bleu que son jumeau. Il n'y a pas meilleur éclaireur des ténèbres qu'un chat borgne, par les rues, au secret des caves, dans un ancien garage à diligences, derrière les vantaux d'une maison funéraire que les endeuillés oubliaient de clore.

La lune s'est éteinte à la lucarne ; on entend déflagrer le vent dans les conduits de cheminée ; les nervures de la charpente attaquées par les insectes pétillent entre deux clameurs dans un chuchotis continu de mastication. La respiration un peu rauque de Shaena couchée à l'autre bout, derrière une lourde tenture suspendue à une poutre, semble répondre aux plaintes des éléments. Il ne fait pas si froid ; même en plein hiver, la chaleur de la forge se répand jusqu'aux combles grâce aux braises sous la cendre.

Ariel s'agite soudain. Haletant, il a rabattu la couverture et pousse un cri.

— *Nisht, nisht !* s'exclame-t-il dans un râle. Je ne veux pas !

— C'est rien, arrête ! dit son frère. Tu vas fâcher le satan.

Accoutumé à ses cauchemars, Alter l'a saisi par les épaules et s'efforce de l'apaiser comme font les cochers avec une bête que l'orage affole. Mais Shaena ne manque pas d'accourir ; à demi endormie, les jambes nues, elle s'assied au pied du lit et chantonne son éternelle berceuse :

Shlof, kindele, shlof,
dort in jenes hof
iz a lempele vayze,
vil mayn kindele bayse,
kumt der halter mit di gaygn,
tut die shefelekh tsuzamntraybn,
shlof, kindele, shlof.

Cette histoire de mouton mordeur et de berger venu rassembler son troupeau à l'aide d'une viole aurait-elle jamais pu rassurer l'enfant double du grenier ? Ariel ne se souvient plus de son rêve ; il aime entendre la voix égarée de Shaena pareille au vent et à la pluie contre la fenêtre couchée.

Personne ne connaît le moment précis où la réalité bascule. Alter craint de disparaître sans retour à l'instant de perdre pied. Pourquoi reviendrait-on d'un rêve ? Bien des années jadis, dans ce monde ou un autre, une chose inconcevable a brûlé sa mémoire. On ne saurait garder ce qui vous a détruit, même avec le souvenir. Enfermé dans son vacarme d'étincelles, l'oncle Warshauer devait en savoir à peu près autant qu'une stèle aux inscriptions ternies sur une tombe asséchée par le temps. Alter, la nuit, essaie d'échapper aux mouvances du miroir, mais très vite son reflet l'attire tout au fond. Les rêves d'Ariel le rattrapent et il cède au mystérieux encerclement de chimères et d'emblèmes...

Le petit jour éblouit par temps de neige. Que s'est-il passé ? Dans une ville de glace et de fumée, on les sépare chaque matin avec le grand sabre de la lumière. On dit que les vrais jumeaux vivent au présent des événements futurs. Qu'ils n'ont qu'un seul et même cœur battant dans plusieurs mondes. C'est la diablerie du miroir de chair ; comment se reconnaître déporté hors de soi ? Même lorsqu'ils se taisent pour ne rien trahir, Alter et Ariel échangent des pensées très anciennes. Ils ont entre eux un langage de frémissements, d'échos, presque de scintillements. Des années les éloignent maintenant de Kiti, le chat borgne de Lodz. Sur l'autre rive de la Vistule, dans ce shtetl perdu cerné de marécages, de collines pelées et de sombres forêts, ils ont tout oublié des événements obscurs à l'origine de leur exil. Rien ne change, la nuit prolonge la nuit. Ariel bat des paupières dans un demi-sommeil.

— Écoute-moi, je parlerai bien bas…

Mais il dort, inconscient de ses paroles. On oublie tout dans les yeux de son frère.

2.

Sorte de faubourg sans attaches qui se délitait en palissades et baraquements de part et d'autre de la traditionnelle *yidishe gas*, large voie passante de terre battue livrée aux neiges solides des mois d'hiver, à la suffocante poussière d'été et aux bourbiers de mi-saison, Mirlek était semblable à cent autres shtetls, bourgades intermédiaires en dehors des vastes quartiers juifs des grandes villes et à l'écart des campagnes hostiles, avec sa place du marché seule pavée de galets où se querellent forains d'ici et d'ailleurs au milieu des carrioles à bras des charbonniers, des crieurs de famine et des barriques de saumure, avec, au fond d'échoppes encrassées de suie, des artisans de toute espèce et maints petits métiers sous les enseignes au lettrage maladroit. Autour de la synagogue de pierre bâtie à la manière des églises, le clocher en moins, certaines maisons de bois avaient des petits airs de chalets tyroliens à côté d'autres bâtiments en dur, écoles, hôtel municipal ou rares pavillons de notables, avec en perspective au nord comme au sud la basse avenue et ses boutiques, masures et cassines en vis-à-vis, où cahotaient les attelages parmi les portefaix coupant leur chemin au plus court et les vendeurs ambulants, les mendiants patentés, la gent féminine de tout âge courant à ses courses entre deux atermoiements loquaces, les bandes de gosses échappés du heder que fêtaient des chiens erratiques surgis des allées contiguës, les promeneurs studieux en toque et caftan sombre escortant à distance respectueuse le vieux Rav à la barbe de lion qui cheminait d'un pas d'amnésique dans la splendeur cachée.

C'était l'automne. Alter avait pu s'arracher pour une fois à son frère et méditait sur son étrange solitude en vaguant entre les tonneaux de poisson salé, les bidons de lait et les hassidim à longue robe devisant, les doigts presque emmêlés, chapeau contre chapeau. Si les usages perduraient, bien des choses avaient changé au shtetl, même à l'échelle d'une vie d'enfant. Les visages étaient plus graves, les silhouettes flottaient davantage dans leurs vêtements. On trouvait encore de la viande chez le shoykhetz, tripes et bas morceaux, et la couronne du boulanger changeait souvent de couleur. Beaucoup d'apprentis avaient perdu leur place en ville. Débauchés en nombre des fabriques et des manufactures des environs, les ouvriers autant que possible besognaient à la journée chez les artisans du shtetl, menuisiers, maçons ou tonneliers. Il n'existait pas de caisse d'allocations pour les chômeurs et chacun devait se débrouiller pour n'être pas à charge. Les ferrailleurs et les fripiers étaient les seuls à s'enrichir un peu : tout devient vite chiffons, tôles et brocante quand s'effondre la valeur d'achat. Insensiblement, les autres, les voisins des ultimes faubourgs de la ville chrétienne devenue inaccessible, ceux qu'on appelait *goyim*, se détournaient et s'écartaient un peu plus, évitaient même de commercer, de débattre pour un zloty ou de troquer comme naguère divers services de bricolage, ce qui aggravait notablement les privations au shtetl. Il n'y avait bien que le bavardage infini, le pilpoul des porteurs de papillotes qui ne tarissait pas. Tout à leur ordinaire exaltation, clamant de mille façons leur foi allègre en l'avènement du messie, les jeunes dialecticiens des nuages en quête des dix signes annonciateurs, les pieds dans la boue ou la poussière, paraissaient indifférents à la tourmente qui prenait corps au-dessus des kippas tandis qu'à l'écart, sur le seuil des yeshivot, leurs maîtres coiffés du large shtreimel de renard ou de fouine à treize queues les observaient avec une moue lasse heureusement dissimulée sous le mâle ornement prescrit par le Talmud. Devant la pauvreté accrue, les schnorrers eux-mêmes évitaient de se plaindre ; la pratique de la mendicité en ces temps de disette ne concourait-elle pas au bon voisinage, sous couvert de révélations outrées, de secrets d'État, de confidences vraies ou supposées… Mendiants et prêcheurs se partageaient la crédulité publique. Mais ce sont les simples rumeurs que l'agile manchot Glezele glanait et prodiguait à tour de manches. Glezele appartenait à l'espèce notoire des batteurs de gadoue, toujours sur la brèche, courant l'obole en tous lieux où sonnaient deux zlotys.

Ce jour-là, peu avant la grisaille d'un soir d'été bruineux, une compagnie de cavalerie légère traversa au galop la bourgade juive dans un grand cliquetis d'étuis de sabre, de lances et de culasses de fusil. Dense à cette heure sur la voie principale, la foule s'écarta comme les eaux du Jourdain tandis que les chiens glapissaient en se jetant sous les sabots; des carrioles de maraîchers basculèrent, une vieille dame heurtée par le poitrail d'un alezan alla rouler parmi les navets et les choux. À ce moment, Glezele aperçut un gamin en grand péril sur la voie et se précipita en hurlant des *Oy vey!* Projeté au sol par le souffle de cent chevaux, mais à peu près sauf, Alter vit le mendiant s'interposer entre lui et cette trombe animale. Héroïque, sa manche vide virevoltant au milieu des crinières et des casques, Glezele gesticulait face aux vagues successives de cavaliers, comme s'il affrontait une tempête à la proue d'un esquif, quand, en fin de cortège, les sabots d'une bête cabrée de frayeur le frappèrent en pleine poitrine. Marionnette aux fils coupés, le schnorrer s'affaissa grotesquement, sans que le cavalier, serrant les brides l'instant d'une demi-volte, eût le réflexe d'interrompre sa course. Un nuage de poussière retomba sur les corps de la vieille, du mendiant et de quelques chiens, tandis que la foule des témoins, plaquée jusque-là contre les palissades et les façades de bois, s'élançait confusément au secours des victimes en clamant son malheur et sa honte.

Tétanisé, Alter considéra cette subite affluence après les hautes encolures des cavales qui, une minute plus tôt, filaient, tentaculaires, au-dessus de sa tête. Déformés par l'effroi, la colère ou la désolation, les visages se penchaient drôlement autour des accidentés, comme évasés en entonnoir, les oreilles collées l'une à l'autre. La vieille femme respirait encore et fut convoyée dans les cris vers un dispensaire de quartier. On souleva de terre le schnorrer avec moins de hâte. Le bras pourvu d'une main retomba aussi mollement que sa manche vide. Sa tête dévissée, aux yeux dilatés sur une détresse glauque, insondable, tandis qu'une morve de sang s'écoulait du nez et de la bouche, signifiait l'adieu au monde. Relevé mais vacillant, Alter n'eut pas le temps de s'émouvoir en voyant la grande rue basculer d'un coup avec ses masures, son désordre humain et, plus vaste que le ciel, la face de clown toute plâtreuse et maculée du malheureux Glezele. Le mort fut emporté dans un profond silence à la synagogue avec l'assentiment distrait d'un policier polonais qui rentrait chez lui à bicyclette. « Appelez donc le poste du district, avait-il dit, quelqu'un viendra verbaliser. » Petite chose inanimée découverte par les derniers badauds sur la voie ponctuée de crottin, l'enfant évanoui fut conduit à l'une des deux drogueries du shtetl. Les genoux écorchés, tout meurtri de bosses et d'ecchymoses, il recouvra conscience dans les vapeurs d'éther. Un vieux préparateur en pharmacie sanglé dans un tablier à plastron et coiffé d'une kippa de velours noir lui tapota la joue.

—Tu as eu plus de chance que l'infortuné Glezele, répéta-t-il une bonne dizaine de fois sur un ton machinal à peine teinté de reproche.

3.

Meryem Lipsky, la fille combien tardive du Rav à la barbe de lion, avait à peu près l'âge des jumeaux. Depuis des années, elle s'amusait à les confondre, envoûtée par le phénomène. Comment pouvait-on être si pareils et en vie chacun pour soi ? Dans la maison de son vieux père rendu veuf à sa naissance, les miroirs étaient bannis et elle n'avait qu'une perception des plus floue de son propre visage réfléchi sur les cuivres astiqués par ses soins, cache-pot, poêlon à manche de laiton, plateaux de balance. Par grand soleil, parfois, elle dérobait une image plus nette de sa physionomie dans l'eau des mares autour du cimetière ou sur les vitrages du temple, entre le portail de bois ouvragé et l'Arche sainte. Elle se disait que ce n'était pas elle, mais une autre, son double d'aucun ventre, une créature maudite qui cherchait à revenir au monde des vivants à travers son reflet noyé. Une vieille nourrice, morte voilà des années, lui avait autrefois raconté l'histoire des esprits malins échappés de la géhenne et traquant leurs proies, embusqués sous les lits, dans les armoires ou au détour des tombes.

Depuis que ses tétons avaient enflé et durci, Meryem rêvait d'une autre vie. Pour tromper sa solitude dans la maison déserte du rabbi, elle avait longtemps cherché sa petite bessonne de l'au-delà, nullement effrayée tant la compagnie lui manquait. Mais personne jamais n'était venu à sa rencontre ; de lassitude, elle finit par admettre que les œillades obliques renvoyées par les flaques et les plateaux de cuivre clignaient d'autres cieux. Comme la fille unique du Rav s'isolait de plus en plus, on s'inquiéta un peu d'elle. Prévenu par les bonnes femmes du voisinage, son père s'occupa de la distraire par l'étude talmudique et les travaux ménagers à la yeshiva. À neuf ans et demi, une fille n'est déjà plus une enfant pour les jeteurs de sorts. S'il était permis de s'entourer d'amulettes, on l'avait mise en garde : « Qu'il ne se trouve personne chez toi qui pratique des enchantements, qui s'adonne aux augures, à la divination, à la magie, qui emploie des charmes, qui ait recours aux évocations ou aux sortilèges ou qui interroge les morts. » Meryem avait bien assimilé les mille façons d'éviter le mauvais œil : ne jamais regarder par les fenêtres et l'entrebâillure des portes, ne pas convoiter les fleurs du voisin ni jalouser les mariées vêtues de blanc… Mais aussi, être discrète en tout afin de bénéficier de la providence. Cela, elle n'y parvenait guère. Chose aisée aux adultes, la discrétion demande moins de cœur que de raison ; et sa curiosité était comme une volée de moineaux qui s'éparpillent et se posent en tous lieux. Pas un museau de souris, pas une mèche folle de fiancée pieuse n'échappaient à son œil de mouche ; elle se délectait des innombrables petites ombres qui dénonçaient la fièvre mal cachée des caprices et des vices chez les uns et les autres, Juifs ou goyim de passage. Pourquoi les gens faisaient-ils tant d'efforts hypocrites et de grimaces pour déguiser leurs penchants ? En même temps, toute promiscuité lui retournait le cœur, serait-ce de partager un déjeuner de chou-rave aux épices en face des bouches molles, des barbes et des dentures. Seul pouvait la séduire ce qui se dérobait, comme sa propre image sur les cuivres brunis, ou celle miraculeuse des jumeaux, de l'un à l'autre insaisissable, si belle, étincelante. On ne pouvait les reconnaître ni à leurs habits, qu'ils s'échangeaient par jeu, peut-être même sans y prêter attention, ni à leur allure décalquée, et moins encore à leur physionomie. Meryem se disait avec un profond rire intérieur qu'elle n'aurait su choisir, que l'un sans l'autre y eût perdu son mystère. À chaque fois qu'elle les voyait réunis, il lui fallait attendre le partage des noms. C'est presque toujours Alter qui trahissait d'un mot leur parfaite symétrie. Elle s'attachait dès ce moment à un détail, souliers, mèche folle ou élément vestimentaire, pour bien les différencier dans l'espace, car ils ne cessaient de tournicoter et de s'intervertir comme au jeu du bonneteau. Depuis l'enterrement de Glezele, le schnorrer manchot, on les voyait moins de pair, et quand l'un d'eux se montrait chez le boulanger ou à la ferme pour acheter le lait et les œufs, on pouvait se demander si l'autre n'était pas gravement malade tant son semblable avait l'air affligé. Nul d'ailleurs n'aurait osé s'en enquérir. Par superstition, on ne hasarde jamais un prénom à l'adresse de l'enfant dépareillé. On dit aussi que les jumeaux rendent aveugle, comme le vieil Isaac incapable de distinguer le déloyal Jacob venu se faire bénir à l'insu d'Ésaü, son benêt de frère qui pour une assiettée de lentilles avait cédé rien moins que son droit d'aînesse.

La fille du Rav Lipsky ne jouait pas à pile ou face. La première fois que l'un d'eux vint seul à elle, quelques jours après la dramatique chevauchée, c'était dans l'espèce de jardin encombré de ferrailles et de roses trémières qui séparait sa maison de briques d'une ancienne fonderie abandonnée à la végétation. Elle fut prise de frissons en songeant incompréhensiblement à Isaïe, le prophète scié en deux, ou au nourrisson disputé par des prostituées à la cour de Shelomoh le pacifique. Lorsqu'il s'était avancé parmi des socs brisés, des essieux rouillés ou de vieilles tôles de bardage que les passeroses tachaient partout de pourpre, elle sut qu'il s'agissait d'Alter grâce aux contusions et aux écorchures qui marquaient encore sa peau blanche. Quelle importance que ce fût l'un ou l'autre puisqu'ils étaient en tout identiques ? Cependant, depuis la mort du pauvre Glezele sous les sabots étincelants, un sombre prestige le distinguait.

— Tu veux que je t'apprenne un nouveau jeu ? lança-t-elle.

Alter venait d'enjamber un dernier obstacle ; très

pâle, il se tenait immobile au milieu des fleurs.

—Je ne sais pas, dit-il en considérant la frêle silhouette qui dansotait d'un pied sur l'autre dans un carré d'herbe où luisaient des paillettes métalliques.

—C'est simple, poursuivit Meryem. Je te montre mes seins et tu ne dois pas rougir, sinon tu seras puni d'un gage…

Un soudain vacarme de sabots, de chenillettes et de moteurs étouffa sa voix. Alter se tourna vivement du côté de la grande rue.

—Encore un convoi militaire ! s'écria-t-il. Tu viens voir ?

—C'est trop dangereux d'aller sur la route, dit la fillette. Là-haut, à l'étage de la fonderie, il y a une fenêtre…

Sur le plancher cendreux d'un vieil entresol qu'une échelle desservait, accroupis entre d'amples broderies d'araignées, ils virent défiler toute une armée hâtive, cavalerie légère, artillerie blindée, canons d'assaut, camions de transport de troupes. Les habitants du shtetl s'étaient volatilisés aux premiers cliquetis ; blottis derrière leurs portes, ils s'interrogeaient autant sur l'ampleur de ces manœuvres que sur le déni insolent de leur sécurité. Les compagnies équestres ou motorisées se succédèrent longtemps au même rythme, comme d'énormes scolopendres, écrasant tout obstacle, indifférentes aux peuplades locales.

—Tu as vu les drapeaux ? souffla Alter. Ce sont des régiments polonais…

—Je sais bien, mais où vont-ils avec tous ces canons?

Meryem pressa son épaule contre celle du garçon puis l'enlaça, serrant son buste maigre. Alors que des automitrailleuses traversaient le shtetl, elle le paralysa d'un long baiser brûlant sur la nuque, comme une de ces araignées dévoreuses qui les entouraient. Alter se dégagea de son mieux et la repoussa des deux mains.

—*Meshugene!* Tu es folle, complètement folle!

—Non, non! dit Meryem. N'as-tu rien compris? Mon cœur me fait mal...

—Regarde! s'exclama-t-il en montrant le bout de ses doigts tachés de sang. Tu m'as mordu!

—Mais je t'aime, Alter! Ce n'est qu'un suçon pour te reconnaître, j'espère qu'il ne cicatrisera jamais...

4.

Guère absentes depuis des générations, l'anxiété et la détresse s'étaient exacerbées avec les problèmes d'approvisionnement. On manquait d'à peu près tout au shtetl, à commencer par les produits de première nécessité, médicaments, céréales ou laitages… Ressenties comme une forme accusée d'ostracisme, ces restrictions faisaient craindre d'autres agissements. L'hostilité distraite du vaste monde des goyim pouvait au gré des circonstances tourner à l'animosité et parfois au carnage. Mais personne ne voulait croire à la guerre, même si on y pensait le soir, en se couchant après dîner. Tout rêve a un sens, sauf ceux qu'on fait le ventre vide. *Le Livre de la Splendeur* dit toutefois clairement que rien n'arrive qui n'ait été révélé au préalable dans un songe. C'est ce qu'était venu déclarer Nesham, un de ces hazzanim itinérants, par un triste jour de marché, devant la synagogue close sur ordre du Rav Lipsky. En ces heures troublées, ce dernier ne redoutait rien davantage que les faux messies et autres illuminés, en dehors des Polonais enivrés, des cosaques et des prospecteurs prussiens. Le chantre appartenait à l'espèce hassidique la plus exaltée, un Farbrenguen à lui tout seul! Même dans une maison en feu, il danserait encore en vocalisant ses *Aï aï aï!* Les fous de Dieu en appelaient à la joie céleste puisque rien au monde, même les pierres lancées par les fauteurs de pogroms, ne pouvait se soustraire à la ferveur divine. Ce Nesham avait l'aspect de ces coureurs de prairies, journaliers qui se louent à petite enchère pour les semailles, la tonte des moutons ou le moissonnage. Son accoutrement comme toute sa personne, au demeurant altière, étaient rendus blafards sous une poussière agglutinante de son et de paille.

On lui avait interdit l'accès au Saint des saints et sa voix de ténor retentit en plein air pour dire les présages devant une foule médusée.

— J'ai fait un rêve dans un rêve. Les arrêts de la Cour céleste m'ont été révélés tandis que je croyais sortir du sommeil et retrouver les servitudes matérielles. Je ne vous apporte qu'un soixantième de prophétie! Voici, il monte d'Allemagne un souffle empuanti des ténèbres du shéol. Priez avant Souccot, avant Yom Kippour et Rosh Hashana! Les portes des larmes sont grandes ouvertes. Les millions d'anges et les démons de divination eux-mêmes n'y peuvent rien...

Le hazzan Nesham, à court de certitudes, s'en retourna sans avoir chanté, laissant dans les esprits une impression de désaveu ou d'opprobre. Le lourd été des moissons chargeait l'air d'une senteur mêlée de fourrage, de brûlis et de fumier. Un calme relatif, seulement troublé par les rumeurs des postiers et des colporteurs, laissait le petit peuple du shtetl dans une expectative doucereuse au gré des journées remuantes de lueurs et des profondes nuits écrasées d'étoiles. Les troupes en mouvement qui, à mainte reprise, avaient labouré la rue principale, l'unique assez large par où l'on pouvait aller quelque part, se détachèrent de ce côté de la Vistule pour se masser pesamment le long des frontières, à travers champs ou par d'autres voies encore praticables.

Quoique ralentie, contrainte d'adopter un rythme plus agreste, l'activité du bourg gardait des modes de vie urbains, en contrecoup d'entraves séculaires autant que par tempérament : même les familles juives de maraîchers et de cultivateurs aux confins du shtetl se considéraient comme des citadins de plein droit, à l'instar des boutiquiers ou des employés municipaux. Dans les estaminets où l'on palabrait sur la conduite du monde, rien ne laissait deviner le silence si proche des plaines, des mornes forêts de résineux et des marécages où se fomentait la fin des beaux jours avec ses orages et ses massacres de feuilles.

Tout avait commencé par la dégradation des échanges ordinaires entre Mirlek et l'extérieur, le boycott insidieux des commerces juifs, l'interdiction faite aux enfants chrétiens de fréquenter ceux du shtetl. On parlait d'émeutes ici et là, d'explosions de violence qui se polarisaient vite sur les quartiers juifs – à Przytyk déjà, trois ans plus tôt, dans les campagnes, dans les petites ou grandes cités, à Lublin,

Czestochowa, Bialystok, Grodno... Les brutalités aveugles et les pillages semblaient devoir entrer de nouveau dans les mœurs en dépit des molles admonestations d'un gouvernement d'épigones, vétérans et légionnaires sortis du tombeau d'un despote. On parlait de meurtres en série et de viols collectifs. Placides, les anciens du shtetl évoquaient un âge d'or que ni eux ni les pères de leurs pères n'avaient pu connaître, du temps où la Pologne était devenue un refuge inespéré pour tous les persécutés, tous les bannis de Palestine ou d'Espagne, après mille années, mille célébrations du Seder de Pessah qu'un vœu sempiternel achève sur d'identiques mots : *L'shana haba'ah b'Yeroushalaïm*. Bien loin de Jérusalem, bercée par une même aspiration, la vie s'était perpétuée d'un an l'autre à Mirlek, certes un peu plus famélique et inquiète.

Cette fin d'été 1939 vibrait d'échos bizarres, bugles, cornes et tambours, mais les rires l'emportaient dans les layons incandescents. Par petites bandes frondeuses, les enfants livrés à eux-mêmes aimaient plus que tout partir en expédition vers les campagnes proches. La cueillette et la chasse à mains nues occupaient ces permissions enfiévrées : les haies vives regorgeaient de mûres, on glanait des épis aux champs ou chapardait une pomme encore verte à la branche la plus basse d'un verger, on traquait les musaraignes aux longs museaux studieux, les écrevisses sous les pierres des ruisseaux et les tritons dans l'œil bulleux des mares.

Sur les pas d'un solide dadais à tête de bélier appelé Itzak, les jumeaux, Meryem et quelques autres gosses du quartier de la synagogue s'en étaient allés explorer ces confins, à moins d'une ou deux heures de marche du shtetl. Quand la faim donna aux plus aguerris des idées de ripaille à la vue d'une poule égarée, la fille du rabbi s'interposa par esprit de chicane : les lois de la cacherout consignées dans le Lévitique interdisaient d'effrayer un animal, et plus encore de le tuer sauvagement, comme ça, à la sauvette. On ne joue pas avec le sang ! Le rituel s'imposait en toute chose. D'ailleurs, s'il s'agissait d'amusement, la chasse et la pêche étaient proscrites au même titre que toutes les formes de violence et d'irrespect envers les créatures. Il fallait épargner la musaraigne, l'escargot et le silure, c'était écrit dans le troisième livre de la Torah.

— Comment que je te l'attrape cette volaille alors ? grommela, furieux, le dadais en chef.

— Avec un filet aux mailles fines pour ne pas la blesser, que ce soit une poule ou un cerf. Ensuite il faudra la porter vivante au sacrificateur ! Et laissez les autres bêtes tranquilles ! Tu ne mangeras rien d'abominable, c'est écrit dans le Livre…

Les vaines tentatives d'Itzak pour s'emparer vaille que vaille du gallinacé parmi les fondrières suscitèrent l'hilarité. Des chiens grondèrent à proximité. Après une décharge de gros sel tirée dans leur direction par un fermier jailli d'une futaie de bouleaux, la petite bande tout à fait découragée déguerpit loin des enclos et se contenta d'une cueillette par les bois et les clairières. Fraises sauvages, myrtilles et groseilles ne valaient pas une poule rôtie dans ses plumes sur un feu de vieux cageots. Intimidée par la faconde de Meryem, la tête de bélier s'en prit à ses protégés. Les jumeaux portaient malheur, il fallait en éliminer un. Ni eux ni la fille du Rav ne parurent s'en émouvoir malgré l'engouement fébrile de la troupe parvenue dans une vaste cavée tapissée de luzerne et coiffée de pins sylvestres. Sur la réserve, formant cercle autour des victimes désignées, tous guettèrent avec un fond d'excitation les dits et gestes du meneur.

— Eh bien, dit Meryem d'une voix brutale, lequel des deux vas-tu égorger maintenant ?

Tout le monde avait remarqué les gratterons, akènes et capitules de bardane accrochés par dizaines à sa longue robe noire comme à son extravagante chevelure, flots de nuit dénoués. Itzak eut un soubresaut d'éveil et grimaça, l'air ahuri, les mains pendantes entre ses jambes comme pour cacher sa nudité. Qui parlait d'égorgement ?

— On n'a pas besoin de toi ! s'égosilla-t-il enfin. Retourne chez ton paternel ! Une fille ne doit pas suivre les garçons dans la forêt…

Railleuse, Meryem le dévisagea avec aplomb. Elle eut un rire perçant. Chevrette noiraude, elle bondit soudain au milieu du chemin et se campa devant ce lourd bélier laineux. Ce qu'elle lui dévoila de sa folie à l'insu de tous, l'espace d'un instant, parut le foudroyer sur place. Il chancela puis, dans un vain sursaut, fit mine de la frapper. Rouge d'humiliation, il partit finalement à râler comme si la respiration lui manquait.

—C'est pas vrai, c'est pas vrai! se récria-t-il dans un hoquet.

En retrait, Alter considéra d'un même œil la face pouparde d'Itzak et le profil aigu de la fille du Rav. Elle avait provoqué ce pauvre diable d'un sourire en lame de couteau. Est-ce encore du courage que simuler le courage? Il ressentit sur sa nuque une intense brûlure au souvenir du jardin de ferrailles et de roses trémières.

5

Seul au petit jour, dans l'encadrement de poutres vermiculées du grenier, Alter ouvrit les yeux sur la fenêtre dormante, surpris par l'éclat sombre du ciel. Où étaient passés son frère et Shaena? En bas, sûrement; Ariel avait pris froid à cause de cette touffeur d'été que la forge décuple le soir et que la fraîcheur de l'aube transforme vite en fièvre. Shaena soignait le moindre rhume avec une batterie de ventouses sèches. À peine les flacons de verre posés contre le dos et la poitrine, la filasse ou le papier journal enflammé à l'intérieur s'éteignait instantanément sur de gros bubons écarlates. Il n'en résultait aucun dommage, c'était une séance de torture indolore; une fois les ventouses ôtées, l'épiderme boursouflé se remettait peu à peu en place. Sauf dans le cas de Meryem, songea-t-il, troublé au souvenir des deux enflures en pointe de sa gorge. L'avait-on trop souvent torturée?

La tête pleine de rumeurs et d'images confuses, Alter se rendormit, rassuré par l'odeur de lait chaud et de poussière de charbon qui montait du rez-de-chaussée. L'agitation des derniers jours au shtetl était indéchiffrable. Comme un peuple de fourmis dérangées, des gens couraient l'un vers l'autre et semblaient se frotter les antennes, beaucoup portaient d'énormes ballots ou allaient en tous sens, qui poussant des carrioles ou des landaus, qui sur des béquilles ou des chaises roulantes. Des voisins propriétaires d'une maison aux fondations de pierre, vieux couple secret mais toujours souriant, avaient clôturé portes et fenêtres après avoir hissé des caisses de livres et quantité de paniers et de malles dans un gros fiacre d'hiver à huit ressorts attelé à deux solides chevaux. Au moment de rejoindre son mari dans la voiture, la femme avait montré de l'hésitation, à demi tournée vers les jumeaux et Shaena qui, apostés devant la forge, considéraient le spectacle toujours un peu funèbre du déménagement. Pourquoi s'était-elle précipitée en larmes pour les embrasser tous ? « Partez, partez, vous aussi ! Ne restez pas en Pologne ! » Tels sont les mots qu'elle proféra dans le cou de Shaena. Alter avait suivi d'un œil étonné sa courte déambulation juste avant que le fiacre ne l'emporte à tout jamais. Il y a tellement d'adieux dans les rues. À chaque rencontre, malgré les sourires et les paroles, les gestes pour étreindre ou retenir, c'était un nouvel adieu.

Un peu plus tard, la bedaine débordant de son costume râpé, le doyen du shtetl suivi d'un employé municipal engoncé dans un drôle d'uniforme de facteur ou de garde champêtre d'où dépassaient, comme une guipure de jupon, les franges de son châle de prière, allait de porte en porte, d'échoppe en atelier, interpellant au passage tous ces groupes agités à l'angle des ruelles, sur le parvis dallé de la synagogue ou devant les gargotes ambulantes des jours de marché. D'apparence joviale mais le cœur déchiré par la disparition brutale de son épouse, le doyen s'efforçait de raisonner ses administrés en homme pieux, viscéralement attaché à cette terre d'exil, et plus que jamais depuis qu'une tombe fraîche attendait le marbrier au cimetière du shtetl. Il n'y avait pas grand-chose à redouter, le couloir de Dantzig était loin de Mirlek et cette histoire de poste polonaise attaquée par les Allemands n'avait rien d'alarmant. On ne fait pas la guerre pour un bureau de poste ! Et n'était-ce pas ce soir l'allumage des bougies pour l'entrée de shabbat ? Et demain, le jour de repos du Seigneur parmi ses créatures, puisque même lui avait besoin de reprendre haleine dans sa béatifique éternité. C'était écrit. Ni toi, ni ton fils, ni ta fille, ni ton domestique, ni ta femme, ni ton âne, ni l'étranger dans tes murs ne devra plus accomplir la moindre besogne. Alors pourquoi s'agiter inutilement ? Il suffirait de ceindre entièrement la bourgade avec du fil de pêche en bobine pour chasser toutes ces inquiétudes et apaiser les irréligieux et les anxieux, au moins jusqu'à la sortie de shabbat, demain, quand percera la troisième étoile…

Resté seul devant le portail coulissant de la forge, Alter regarda longtemps évoluer le gros personnage, si rassurant avec son assistant galonné et boutonné d'or jusqu'au menton. Il se dit qu'un pareil bonhomme devait disposer de réels pouvoirs, inconcevables pour un enfant.

En passant la tête dans l'atelier, satisfait de voir l'oncle Warshauer actionner le grand soufflet sur les braises, le doyen avait déclaré bien haut : « Inutile de distraire un sage au travail ! » Puis, tournant les talons, il s'était dirigé d'un pas décidé vers une harpaille de chiffonniers qui traînaient les pieds derrière un baudet minuscule attelé à une sorte d'énorme brouette à trois roues surchargée de hardes et de vieilleries. Son adjoint fatigué de cette campagne d'apaisement haussa les épaules : ces gens-là n'étaient pas de Mirlek. Comme eux, nombre de misérables terrifiés par une insistante odeur d'incendie, malgré l'absence de flammes ou de fumée, avaient fui la voïvodie de Varsovie à travers champs et par les routes.

Rejoint par son frère, Alter l'invita à dégringoler la venelle longeant l'atelier que continuait un sentier dérobé au creux d'un sous-bois où ils étaient portés, certains jours, à s'évader du monde et de ses disputes. La végétation à la fin de l'été y formait une galerie ombreuse à mi-corps, le lierre et les ronciers tapissaient les talus, et les feuillages de saules, d'yeuses ou de bouleaux mêlés en une voûte serpentine toute constellée de soleil, semblaient frémir d'un rêve musical à la moindre saute de vent. Outre les chats toujours aux aguets, on y croisait quantité d'écureuils et de hérissons, parfois même un chevreuil ou un cerf dans une trouée de lumière. Les bêtes sauvages appréciaient les abords du shtetl où jamais les tirs de fusil ne mettaient la nature en émoi. On racontait que les loups descendus des forêts de l'est aux grands froids venaient s'y réfugier jadis, n'y redoutant guère les chasseurs.

— Allons jusqu'à la tour, dit Alter.

— Je préfère rentrer. Shaena doit s'inquiéter…

— Viens ! De là-haut, on pourra voir ce qui se passe.

Ariel cédait toujours aux instances de son jumeau, non par manque de caractère, mais d'avoir à le contrarier l'affectait comme s'il s'en prenait à lui-même. « Je viens sans te suivre », se disait-il alors ; et Alter, qui déchiffrait dans l'instant sa pensée, répondait lèvres closes : « Forcément, c'est moi qui suis né le premier. » Ça l'amusait d'être l'aîné de quelques minutes. Sans preuve aucune, il en avait une manière d'intuition depuis la molle fracture, le grand déchirement qu'on appelle naissance. Ni lui ni Ariel ne pouvait désapprendre cet éden de connivence où battent les cœurs, où tout un monde secret palpite, cette nage presque éternelle dans la nuit chaude d'un ventre, à se frôler et s'enlacer sans fin en rêvant comme les plantes.

— J'ai toujours l'impression de te suivre, finit par admettre Ariel, mais ce n'est pas vrai.

— C'est à cause des minutes de retard…

Le goût, entre eux, des devinettes, des allusions et des énigmes aussitôt résolues sans besoin de détours, les rendait farouchement laconiques, incompréhensibles à quiconque eût voulu se mêler à leur conciliabule. Ariel aimait bien ces instants de suspens qui lui laissaient un peu de marge.

Les talus du sentier creux sillonnés de racines se refermaient comme les lèvres d'une plaie par endroits. Au plus étroit de cette tranchée à l'odeur de tombe fraîche, Ariel dut se mettre en remorque, bientôt distrait par la nuque de son frère. Les mèches en tire-bouchon y tremblotaient comme le feuillage ; à force d'attention, il eut la désagréable impression de se regarder dans l'envers d'un miroir. D'instinct, il se palpa le col juste sous les frisettes avant de pointer le doigt devant lui.

— Mais tu t'es blessé, là !

Sans se retourner, Alter se frotta la nuque en riant. Il se souvint de la fille du Rav, penchée sur lui comme un dibbouk assoiffé de sang, à l'étage de la fonderie. Son baiser fou s'était un peu envenimé. Haussant les épaules, il écarta les branches basses de sureau qui envahissaient la sente à son débouché. Devant eux, l'imposante silhouette d'un vieux silo à grain hors d'usage se dressait au-dessus d'une friche où alternaient tertres et fosses colonisés par la bruyère des marais et l'armoise. Bâti en surplomb d'une dénivellation en forme d'estuaire, la construction de béton flanquée d'un antique élévateur à godets, lequel pouvait faire office d'échelle grâce à sa bordure vissée de lames de bois, dominait les vastes contrées agraires du sud et de l'ouest, plaines océanes qui s'enfonçaient uniformément sous l'aile ouverte des horizons.

Sans même se concerter, les jumeaux gravirent les décombres de ciment et de ferraille tordue à la base de l'édifice ; usant des niveaux de bois couleur de rouille de l'élévateur, ils ne furent pas longs à atteindre la plateforme circulaire du sommet. Ce qu'ils virent d'emblée, par-delà la grande rue du shtetl et les clochers des bourgades environnantes, là-bas vers le sud, aux pourtours de cette immense vallée qu'avale la courbure des mondes, n'avait pour eux aucun nom connu et moins encore de signification : des objets scintillants enveloppés de rouleaux de poussière déferlaient sans paraître avancer, à peine plus gros à cette distance que de lourdes blattes entourées de fourmis brunes, des colonnes de scarabées, des sortes d'insectes à tête mobile qui brinquebalaient en bon ordre. Mais d'où cela sortait-il ?

Les deux frères échangèrent un regard, laissant ce mystère aux marges de leur champ visuel ; la scène entrevue s'altéra derrière un liseré de brumes bleutées comme s'il s'agissait d'un phénomène optique – géométrie de reflets à travers les paupières ou simples contractions d'iris –, quand brusquement des déflagrations aussi puissantes qu'assourdies firent trembler la charpente d'acier du silo. Les fumées grises au loin, délicats serpentins étirés par le vent, semblaient sans corrélation avec le roulement d'orage qui les accompagnait.

— Il est tard, s'écria Alter. Rentrons vite…

— Non, attends ! dit son frère, fasciné par l'essaim de guêpes ou de frelons mécaniques qui pirouettaient, là-bas, minuscules dans la lumière fléchie du soir.

6.

Survenue des frontières du Reich et de ses alliés, l'invasion laminait la défense polonaise vite prise de court malgré trente divisions d'active surentraînées. Panzers et stukas – ces formations de blindés rapides soutenues par les escadrilles laboureuses de ville de la Luftwaffe – déferlaient de l'ouest, du nord comme du sud, laissant l'infanterie occuper le terrain à l'arrière. Varsovie encerclée était en flammes.

La vie à Mirlek comme dans toutes les bourgades juives de Pologne avait pris un tour incertain ; l'exode des plus avertis vers Kaliningrad ou la Biélorussie laissait dubitatifs ceux qui gardaient en mémoire les pogroms sanglants du temps des tsars et de la guerre civile. Un étrange désordre s'était installé dans les parages. La voie principale donnait en spectacle, derrière les fenêtres des baraquements où les vieux s'embusquaient, tout un monde en déroute, une cohue sporadique de gens et de bêtes, de lourds fardiers tirés par des bœufs, de cavaliers solitaires comme égarés ou d'unités de hussards filant à bride abattue, de véhicules motorisés jamais vus au shtetl, d'enfants tziganes pieds nus à la traîne d'une roulotte cahotante. D'ordinaire si intrusifs, les fonctionnaires de police et autres représentants légaux de la voïvodie ou du district s'étaient volatilisés, cédant la place à des familles vagabondes, des réfugiés loqueteux en quête d'asile, les caravanes d'un cirque ambulant, divers courtiers d'infortune, trimardeurs ou pèlerins hagards, et même des animaux sauvages délogés des forêts par les mouvements de troupes, loups gris, sangliers ou cerfs élaphes vaguant, la nuit, comme des âmes en peine. Aussi, de plus en plus nombreux, isolés ou par cohortes rompues, les soldats fourvoyés d'on ne savait trop quelle guerre.

L'oncle Warshauer, imperturbable, continuait à tisonner sa forge dans une pénombre vibrante d'étincelles. Il ne manquait pas de chevaux à ferrer au gré des décrochements et des renforts armés. On racontait qu'une brigade de uhlans, cavaliers d'élite arborant leurs oriflammes à la pointe des lances, avait chargé les tanks ennemis aux abords de la forêt de Tuchola. Les victoires perdues enchantent les esprits simples insoucieux du malheur annoncé. Sur instruction du doyen, les enfants et les vieillards devaient rester cloîtrés, à l'écart de cette folle pagaille. Mais on se moquait bien de ses consignes au shtetl. Jeune ou vieux, un Juif en péril – cruelle redondance – devait au contraire se tenir prêt à fuir, souliers aux pieds, l'œil sur le *shin* de la mezouzah clouée de travers au chambranle de sa porte.

Affolée par la rumeur de guerre, Shaena prit au sérieux les exhortations du doyen et confina les jumeaux au grenier jusqu'à nouvel ordre. Ainsi leur fut-il défendu de descendre le puits de ténèbres menant à la cuisine et au fond duquel ils avaient pris l'habitude de se glisser à l'aveuglette. Shaena n'eut pas la présence d'esprit de verrouiller la porte du grenier attenante à l'escalier de secours, du côté de la venelle. Sa distraction pensive résultait de l'état de terreur larvée où la plongeaient ses rêves. Avec la distance, ce qu'elle avait subi à Lodz lui apparaissait comme une forme viciée du sommeil, un cauchemar qui aurait contaminé tous les recoins de sa mémoire ; elle ne se souvenait de rien de précis, mais la mauvaise fièvre qui s'était emparée du shtetl l'affectait comme une récidive d'elle ne savait quel mal intime.

Au fil des jours, depuis leur installation chez l'oncle forgeron au début si confiante, l'atmosphère s'était peu à peu appesantie sans qu'elle en soupçonnât la cause. L'homme leur accordait le toit et le couvert avec une totale abnégation et beaucoup d'indifférence. Il laissait les enfants l'approcher sans leur porter grande attention, tels des chats en visite de proximité. Très vite, Shaena s'était sentie embarrassée, pitoyable, comme nue sous son regard. Il fallait absolument qu'elle ne fût plus à la charge du maréchal-ferrant, qu'elle s'acquittât au moins de la nourriture. Elle avait appris à tisser et à couper les étoffes dans une des nombreuses manufactures de Lodz autrefois, aussi fit-elle le tour des ateliers du shtetl. Cependant les artisans étaient pour la plupart aux abois, incapables de s'approvisionner convenablement en fournitures. Comme elle s'obstinait, frappant à toutes les portes, le doyen la convoqua, décidé à l'inscrire, elle et les jumeaux, sur une liste d'indigents. Il lui réclama des papiers d'identité, la supposant mère et veuve. Cette demande troubla la jeune femme qui ne sut quoi répondre et quitta les lieux à reculons, la tête vide, tout en bafouillant des excuses.

La nuit venue, après s'être assurée que les jumeaux dormaient, Shaena se rendit en tâtonnant à la forge et se livra à l'habitant sans réfléchir, presque sans voir, pour que cesse le lourd silence de son regard. Il n'y eut pas un mot entre elle et lui. L'homme lui recouvrit la face de son corsage et s'empara de son corps dénudé. Ce qui s'accomplit alors était follement irréel, un acte vite omis où seule la chair s'exposait, vulnérable, sans même cette clarté fugace du désir. Shaena ignorait la vraie nature de ses rapports de parenté avec celui qu'on appelait l'oncle Warshauer. Il y avait eu trop de disparitions, de dispersions, d'archives détruites, de mémoire mutilée. L'éloignement d'un shtetl à l'autre ne laissait d'à peu près sûr que l'extraction mythique de Jacob et d'Isaac entre d'hypothétiques collatéraux.

Chaque nuit ou presque depuis lors, Shaena subissait le mauvais rêve d'une relation subreptice et muette au goût de mort imminente. Tandis qu'un géant la maniait comme un quartier de viande où planter sa lame, elle croyait expirer. La panique remplaçait toute autre sensation au milieu des lueurs et des flammèches jaillies des braises. Cela ne durait pas, mais un sentiment de malédiction l'avait si intimement envahie qu'elle s'attendait maintenant au pire, certaine qu'il n'y aurait bientôt plus rien à sauver. Shaena ne racontait plus d'histoires invraisemblables aux jumeaux et quand elle leur chantait son éternelle berceuse – *Shlof, kindele, shlof…* – , les premiers mots s'asséchaient aussitôt sur ses lèvres.

À la fois contraints de garder la chambre et livrés à eux-mêmes, Ariel et Alter s'occupaient à parfaire leur langue à eux, idiome de plus en plus complexe et secret au fur et à mesure que le monde extérieur perdait toute espèce de discernement. Au début, avant même de savoir parler, ils s'étaient inventé une riche vocalisation de passereaux ou de lapins de mer, composée de gazouillis et de pépiements, de trilles, de fins babils. Personne n'eût pu imaginer tout ce qu'ils pouvaient se dire ainsi. Les mots et les phrases de l'entourage leur vinrent à terme malgré une certaine réticence : parler comme tout le monde équivalait à se trahir sans cesse. Comme il leur fallait partager à l'insu de tous des émotions et des désirs inconnus, leurs échanges se faisaient dans un curieux salmigondis de yiddish et de polonais, de jurons allemands, d'onomatopées arbitraires, de bouts de mélodies et de cris d'animaux, tout cela rendu cohérent par une gestuelle codée à la manière des sourds. Jeux de mots, grimaces et mises en écho constituaient leur langue d'oiseaux dont ils se divertissaient parfois jusqu'au milieu d'un rêve.

Amaigrie, l'air envieilli, Shaena s'efforçait de donner le change. Elle tenterait d'inscrire les jumeaux au collège communal, en zone chrétienne ; on y acceptait sur la mine dix pour cent de Juifs. Des larmes dans les yeux, elle s'était persuadée de n'avoir plus rien à leur apprendre. Il leur fallait s'instruire sérieusement, c'est-à-dire en savoir autant qu'un petit goy bien né. Le Rav n'y était pas opposé. Les jumeaux continueraient d'étudier l'hébreu biblique au heder. L'école élémentaire du shtetl n'avait plus de maître, mais les étudiants de la yeshiva, ceux des classes supérieures, pourvoyaient bénévolement à leur éducation. Tandis que la jeune femme expliquait au Rav ses aspirations dans une sorte d'enivrement anxieux, Ariel et Alter échangeaient leurs impressions du coin de l'œil ; battements de paupières, froncements de sourcils et autres mouvements imperceptibles au non-initié tissaient la substance d'un dialogue silencieux chargé de doute et d'appréhension. Qu'était-il arrivé à Shaena ? Ses doigts, ses lèvres tremblaient, sa voix était méconnaissable. Elle ne les regardait plus dans les yeux. Et pourquoi avait-elle rempli la vieille valise de vêtements, d'accessoires de toilette et de souliers ?

Une nuit de pleine lune, réveillé par le tonnerre des bombes, Alter vit la chemise blanche de Shaena se détacher des tentures de la soupente et glisser jusqu'à l'escalier. Les déflagrations bientôt firent trembler les murs. Ariel s'agitait dans les draps ; il s'extirpa soudain d'un mauvais rêve et, dressé sur son séant, tendit le bras vers l'obscurité.

— Le chemin, le chemin ! balbutiait-il.

Le chaos envahit la grande rue ; il y eut des cris, des appels étouffés ; la lucarne s'éclaira de lueurs changeantes, comme les flammes de torches qu'on agite. On hurlait maintenant en des langues mêlées avec au loin l'éclat des armes. Des bruits de course dans la nuit, des pétarades de motocycles et des grincements d'essieux se succédèrent de longues minutes, laissant les jumeaux pétrifiés. Et pour quel motif leur était-il défendu de quitter le grenier – à cause de tout ce vacarme ou d'un secret plus menaçant en lien avec les disparitions nocturnes de Shaena ? Alter fut pris d'un sentiment inattendu de solitude et d'effroi, comme si un vaste, immense corvidé borgne aux plumes de ténèbres allait les recouvrir à jamais de son ombre. Alter songea à la barbe de prophète et aux lunettes d'écaille du vieillard de Lodz, à ce père d'un père manquant que l'on n'évoquait plus et dont les traits pâlis, même à demi oubliés, effacés, gommés des cahiers sages de la mémoire que le temps macule et jaunit, s'attachaient irréparablement aux gerçures du plancher, aux taches d'humidité des lambris ou à la forme des nuages. Comment s'appelait-il au fait, Schlomo, Shloyme, Shimchel ? Il ne savait plus, les syllabes se dérobaient juste au bout de la langue.

— Tu te rappelles le grand-père Sheindel ? demanda incidemment Ariel. J'ai rêvé de lui…

— Il était vivant ? s'exclama son frère, pour ravaler une stupéfaction somme toute coutumière.

— Dans mon rêve, oui. Mais ses verres de lunettes

étaient brisés, il n'y voyait presque plus.

À ce moment, du rez-de-chaussée, de longs cris fusèrent, des voix d'hommes, des bruits mats, comme une clameur de querelle et, brusquement, plusieurs détonations. Le silence qui suivit ne dura qu'une ou deux secondes mais parut tournoyer en sinistres réverbérations bientôt rompues par une plainte aiguë, sorte d'ululement brisant des vitres, quelque chose de si effroyable que les jumeaux, ne sachant résister à cet appel, coururent au puits obscur de l'escalier et s'y jetèrent l'un après l'autre. Alter trébucha à mi-course quand son frère déjà poussait la porte du bas; buste en avant, il dégringola à sa suite dans l'enroulement ténébreux. Le heurt répété contre les marches ou le mur tournant manqua bien l'assommer. Pris de tournis, les membres endoloris, il eut du mal à se rétablir. Les cris redoublaient à proximité. S'appuyant sur l'espèce de mât axial taillé dans un tronc de pin qui faisait office de rampe, Alter atteignit comme il put le seuil de l'atelier. Son vertige le retint d'avancer hors de l'ombre et ce qu'il vit alors, ce qui força monstrueusement ses orbites et ses tympans, acheva de l'étourdir. Des hommes bottés et armés, certains en uniforme, gesticulaient grotesquement dans les lueurs spectrales de la forge. Immense en travers de l'atelier, l'oncle Warshauer gisait dans son sang. Un soldat s'était emparé d'Ariel; il le tenait par les chevilles et projetait son corps contre l'établi et les outils suspendus aux râteliers. Comme par jeu, il le faisait pirouetter, frappant son crâne contre le bois et l'acier avec une exultation d'ivrogne. Dans un coin obscur, au-dessus du tas de charbon, riant à tue-tête, d'autres hommes se penchaient, les bretelles défaites. L'un d'eux, le haut du pantalon rabattu sur le gras des reins, se releva en chancelant, un peu confus, laissant entrevoir, pantin déjeté, une forme nue très blanche qui se détachait de l'amas anthracite.

— *Erledigt!* grommela-t-il dans un râle de frustration. C'est plus la peine. Elle a rendu son âme de pute! *Die Jüdin ist tot...*

7.

À peine conscient, comme décapité, l'enfant se précipite entre les ronciers et sous les branches mêlées de l'étroite cavée. En état de choc, il laisse ses jambes le porter tandis que ses bras volent en tous sens. Des tessons creusent ses orbites – l'oncle mitraillé bouche ouverte dans une mare de sang, Shaena inerte, dévêtue, les cuisses écartées sur un tas de charbon. Et Ariel, son frère sans vie, sa propre image, lui-même jeté à bout de bras dans la gueule attisée de la forge. Tout à l'heure à rebours, anéanti, dans la sidération, il a grimpé jusqu'au grenier l'arbre de marches sur les mains et les genoux. Sans plus réfléchir, par instinct de panique, il s'est rhabillé en automate avant d'emprunter l'escalier extérieur. Dehors, une âcre odeur de cendre et de chair brûlée l'a saisi à la gorge. On incendie le shtetl. Des cris de terreur s'élèvent dans la grande rue. À distance gronde l'orage des chars d'assaut et des bombardiers de la Luftwaffe.

Il fallait maintenant fuir, fuir éperdument, détaler sous la pluie de sang comme ces volailles au cou tranché ; échapper à l'œil de feu de la forge qui s'écarquillait, cyclopéen, par-delà les murs et les rues. Rien ne pourrait jamais plus arrêter l'hémorragie des yeux, l'horreur, la torture, les miroirs qui tuent. Il fallait à chaque seconde s'arracher à l'épouvante et bondir dans la nuit déchiquetée, courir à perdre l'âme au milieu des épines et du fouet des branches.

Le souffle rompu, l'enfant débouche sur la friche montueuse au bout du sentier. Une légère brume estompe les contours de la lune. Le vieux silo projette une ombre torse sur les dénivellations. Dans l'hébétude, par un fond d'intuition, l'enfant boitille jusqu'à l'élévateur et, très malaisément, avec une lenteur machinale, entreprend son escalade. Les semelles appuyées sur les lattes en bordure, il s'accroche des deux mains aux godets pulvérulents et se hisse. Parvenu tant bien que mal sur la plateforme, près de perdre conscience, il se laisse choir au beau milieu et verse incontinent dans un sommeil comateux. Aux alentours, le feu des destructions s'étend par cercles et ricochets. On entend presque craquer la croûte terrestre sous les coups de boutoir des bombardiers tandis que hurlent les sirènes sur fond de raz-de-marée. Côté nord, une fumée d'incendie monte du shtetl, dérobant un pan entier d'étoiles sous des diaprures de nébuleuse. À l'est palpite continûment l'orage des bombes. Varsovie résiste sous les essaims de stukas. Après l'assaut des blindés, les cohortes de l'infanterie calmement se répandent, neutralisent toute résistance et s'établissent parmi les décombres et dans les places fortes désertées. Ici et là, une fois les garnisons de la Wehrmacht implantées et les escadrons de la Schutzstaffel entrés en fonction, on fusille au gré des circonstances les rebelles vaincus, les officiers, les patriotes. Et ceux des shtetls en prioritaires de l'infortune.

Là-haut, sur la plateforme, l'enfant inconscient n'entend plus les bruits du monde. Cette nuit de septembre enveloppe le dôme du silo d'une hydre galactique étincelante. Existe-t-il au secret du ciel, quelque part dans la Voie lactée, une terre jumelle égarée, toute blanche au cœur des ténèbres, où rien n'a d'importance, ni le temps ni la mort, où les violons de minuit et la neige des météores s'accouplent mystérieusement ? Il a ouvert les yeux sur le soleil d'aube, ébloui, cherchant à comprendre. Il ne se souvient de rien. Tout s'est dissous comme son rêve à l'instant. Une douleur sourde fouaille chaque partie de son corps. Au-dessus de lui, deux buses tournoient comme les ombres enlacées du soleil et d'une lune encore distincte. Le prennent-elles pour un agneau perché ? Incapable de se lever, de s'asseoir même, il remue faiblement les bras et les jambes. En tournant son visage vers les fumées qui dérivent derrière les rideaux de trembles, une tristesse infinie et sans objet s'empare de lui. Un duo de merles semble tisser la lumière naissante ; des bois et des campagnes montent en écho d'innombrables chants d'oiseaux. Cette constance tranquille l'apaise un peu, comme si tout un shtetl ailé se conciliait, *divertimento*, les mille rôles de la vie quotidienne. Le sentiment qu'on l'attend quelque part, que les eaux glacées submergeant sa mémoire vont vite refluer avec la nuit, ne dure que ces brèves minutes entre l'imminence du jour et le constat de sa solitude. Celle-ci lui apparaît soudain entière, sans recours, presque indifférente comme le reflet d'une tuerie dans l'œil voilé d'un cadavre. Que s'est-il passé ? Toujours allongé, la tête immensément lourde, il suit heure après heure le cycle du soleil.

Vers midi, un cliquetis huilé de chenilles mécaniques envahit la friche. Des engins caparaçonnés hennissent en se cabrant sur un sol escarpé. L'enfant reste immobile, les membres inertes, attentif au tohu-bohu qui l'environne. La faim et la peur au ventre, il ne saisit rien de l'événement, hormis l'obligation d'être à tous invisible. Quelle monstruosité s'est emparée du monde ? Son désir fou de rentrer à la forge se désagrège avec les fumées. L'oubli est plus averti que la mémoire – mais il n'y a nulle part où aller. L'idée de se jeter du haut du silo l'effleure une fois le convoi de panzers rendu au silence, au loin, dans la poussière. Faut-il être affranchi de l'épouvante pour penser au pire ? Le désespoir vient-il d'avoir un peu moins peur, de se découvrir à jamais seul et privé de secours, dépouillé de la chaleur proche et des visages ? Pourtant le bleu du ciel, le chant des oiseaux ne s'attachent à rien de tragique. Bientôt, la main douce de Shaena effacera les mauvais rêves. Son frère jumeau rira sous cape, espiègle, dans sa nouvelle cachette interdite aux adultes…

Après tout ce vacarme, la campagne a recouvré la note pure du silence que les criquets et les passereaux accompagnent en sourdine. L'envie de redescendre et de courir jusqu'au shtetl ne fait que s'accroître avec les spasmes de la faim et tous les tourments de l'ignorance où il se trouve depuis l'éveil. Mais il ne bouge pas davantage, retenu par son immense fatigue et une appréhension informulable. Une petite voix amie lui chuchote de rester tranquille, de ne pas se lever, d'attendre le soir. À deux reprises, des flotilles d'avions de chasse aux ailes frappées du svastika ont survolé le silo dans un fracas de séisme. Les pilotes auraient-ils repéré l'oisillon à forme humaine ? En milieu d'après-midi, sans qu'il ose même s'agenouiller ou s'accouder pour voir, un râle de moteur, des cris brefs et le sifflement concentré d'une salve d'armes à feu achèvent de l'astreindre à la patience. Mais le soleil dessèche ses lèvres. Autant que sa gorge, ses membres couverts de griffures et d'hématomes ont soif d'apaisement. Le besoin d'uriner devient si pressant qu'il se couche sur le côté et s'abandonne. Le soir odieux viendra, puis la nuit bienfaitrice. Il descendra par l'élévateur, godet après godet, et se glissera dans le layon pour retourner au logis. La triste monotonie de la vie chez l'oncle Warshauer ne manque pas de douceur dans l'indulgence des beaux jours. Il aime bien être calfeutré avec son frère l'ange, quand la pluie tonne contre le vasistas, à écouter sans un mot le cœur battant de l'enclume en bas, et la respiration animale de la forge. *Was ist das ?* Shaena, un peu folle, fredonne les chansonnettes du mystère, celles qui parlent du miroir de la contemplation et des jardins de Babylone. Sa voix sous le toit est comme la pluie dans sa tranquille éternité. Pourquoi ce qui palpite si près de soi disparaîtrait-il ? En y prêtant attention, avec l'aide d'un de ces jolis petits manèges à mélodies qu'une clef remonte, tout pourrait reprendre vie. Aussi, c'est de leur faute, Shaena les aura assez prévenus, les jumeaux ne doivent en aucun cas jouer à cache-cache dans leurs rêves. On peut s'estropier ou mourir en chutant au réveil.

Des vaches meuglent alentour ; un âne imite en brayant le va-et-vient de l'égoïne. Les heures s'écoulent, méticuleuses. Est-ce un loup qui pleure à grands sanglots dans la campagne ? Quelque chose s'est détraqué jusque dans l'odeur des choses.

Maintenant, les minutes changent à vue d'œil ; le ciel prend des teintes variées. Un peuple d'oiseaux clame rêveusement le retrait du jour. Il suffit d'espérer la nuit pour que la lumière décline.

8.

Depuis des jours, surtout la nuit, l'enfant erre à travers plaines et forêts, évitant les villages où pointe un clocher, les approches aboyeuses des fermes et des gentilhommières. Amaigri, il glane à découvert les fruits qui choient des arbres, pruniers à guêpes, noyers de malheur ou pommiers acerbes; et dans les sous-bois, plus sereinement, les baies de ronciers, les noisettes et les fraises sauvages. Aussi une faim d'oiseau le tourmente où qu'il aille. Assez souvent, dès qu'il a soif, l'eau vive l'appelle d'un tintement de grelot. Au petit bonheur de ses errances, quand la nature autour de lui paraît confiante, il s'étend sur une botte de paille, dans un taillis, au creux d'une barque accotée au ponton d'un lac ombreux. Souvent, il ne dort qu'à demi, d'un œil et d'une oreille, épiant l'agitation épisodique, cris de hulotte, vol décousu de chauve-souris, flânerie d'un hérisson parmi les feuilles sèches, saut de carpe entre deux eaux noires, chicane d'étourneaux noctambules, scintillements de lucioles ou d'astéroïdes. Que pourrait-il échoir d'autre au grêle rejeton de la nuit? L'épouvante s'est lentement muée en effroi et les tortures de l'absence en un mal lancinant. L'extrême désarroi face au monde disloqué se traduit en vertiges à la moindre inattention. L'enfant voudrait rejeter au loin l'assaut des apparences qui poussent vers lui d'étranges museaux fureteurs. Plus rien ne ressemble à rien ; d'ailleurs tout s'efface. Il ne se souvient guère des noms et des visages. Il aimerait se dérober à la lumière, petit fantôme des ténèbres, et se coucher juste là, sous les feuilles mortes d'une ornière, parmi les blattes et les orvets.

Un matin, dans la grisaille de l'aube, alors qu'il tremblait de froid au repli d'un boqueteau envahi de lianes arbustives, lierre en fleur et bois du diable, un grondement de moteur le mit en garde ; il s'était abrité par nuit noire dans ce bout de chênaie au hasard du chemin. Ce qu'il vit à travers l'épais feuillage raviva la véhémence confuse de ses pires cauchemars.

À moins de cent mètres, deux camions militaires s'étaient rangés le long d'un mur de cimetière, sur le bas-côté d'une route perdue au milieu des chaumes du plus bel ocre visités par des nuées de freux et de sansonnets. Des soldats bottés et casqués, fusil en bandoulière, descendirent du second véhicule et firent descendre à coups de crosse des jeunes gens du premier, garçons et filles, les mains ligotées dans le dos. Tout fut accompli en moins de temps qu'il n'en faut pour se soulager ou fumer une cigarette. L'officier hurla des ordres. On plaqua les otages la face tournée contre le mur de pierres sèches surmonté de croix de ciment. Les soldats vite alignés les mirent aussitôt en joue. À ce moment l'une des filles, en jupe claire, d'une blancheur de peau éclatante, les cheveux roux mal noués en tresses, se mit à courir éperdument sur la route. L'officier leva le poing, visa et l'abattit d'une seule balle dans la nuque. L'instant de tomber, les bras entravés, elle esquissa un saut de biche et tournoya dans un adieu. Craignant d'autres escapades, le gradé ordonna le feu sur les autres qui, de colère, d'égarement ou de désespoir, criaient des slogans en polonais. La salve, redoublée du coup de grâce, mit fin à l'épisode. Le peloton d'exécution regagna le camion qui démarra poussivement tandis que des civils mal vêtus, enterreurs ou terrassiers, s'occupèrent de convoyer les cadavres vers quelque fosse commune de l'autre côté du mur. L'un d'eux, un mégot éteint aux lèvres, alla récupérer la fugitive qu'il se mit à tirer par les chevilles sur la chaussée pavée, y laissant une traînée sanglante. Dénouée, l'ample chevelure fauve s'éploya, la jupe claire se retroussa jusqu'aux cuisses puis pardessus les flancs nus de la dépouille, au grand amusement des soldats de la Wehrmacht encore présents. Tout à coup, trois d'entre eux se tournèrent du côté du boqueteau et pointèrent leurs fusils. L'enfant n'eut pas le temps de se plaquer au sol et moins encore de s'enfuir. L'avait-on découvert ? Un feu croisé brisa des branches sans l'atteindre. Les tireurs, réjouis, remirent leur fusil à la bretelle et partirent à converser bruyamment tandis qu'on achevait d'évacuer les corps.

Quand le deuxième camion démarra à son tour,

laissant l'endroit vacant comme s'il ne s'y fut rien passé, l'enfant resta prostré dans son abri de feuilles. Tout près, entre deux rameaux, une araignée tissait son motif éternel sur le bleu naissant du ciel. À travers sa toile inachevée, il vit deux mésanges s'ébattre d'un buisson l'autre en dansantes virgules. Sur la route et le long du mur, des vagues de sansonnets s'amassèrent pour une razzia imprévisible. Au passage tonitruant d'un avion de chasse, une gerbe de colombes jaillit du cimetière. Seul, frissonnant encore de la fraîcheur nocturne, les jambes humides de rosée, il eût voulu être une pierre sans cœur ni entrailles, une de ces statues informes à la croisée des chemins, saints des prières et des intempéries, qui subissent paisiblement l'usure toujours semblable des choses. Mais les enfants ont trop d'impatience.

De temps à autre, dans l'interstice des chants d'oiseaux et des vains soupirs du vent qui montaient de la plaine, il lui semblait percevoir une plainte animale, comme un glapissement. Ses yeux douloureux, blessés à la trop cruelle lumière, explorèrent pan par pan les fourrés alentour, arrêtés soudain par un museau roux couché dans les herbes, à vingt mètres. Deux pupilles bleuâtres étaient fixées sur lui. Sur le qui-vive, les paumes à terre, il s'approcha très posément, avec le sentiment d'entrer dans un tunnel de clarté fauve. La bête ne bougea pas ; un léger tremblement parcourait son échine. Attentive, la gueule posée sur ses pattes avant, elle observait l'enfant. Quand une petite main s'avança, elle montra les crocs sans conviction. Des gouttes de sang perlaient de sa fourrure abrasée au niveau de l'épaule. La main toujours tendue, il demeura longtemps immobile à contempler cette jolie tête triangulaire, malgré les chardons qui dardaient ses mollets. C'était une jeune renarde qui haletait, sa langue rose palpitante. Il y avait dans son regard une franchise élémentaire et sans recul. L'enfant se mit à parler d'une voix à peine audible. Cela faisait des jours qu'aucun son articulé n'avait franchi sa gorge. Ce qu'il disait semblait venir d'un rêve ou du profond sommeil.

« N'aie pas peur, il ne faut pas avoir peur, tu as très mal, Ariel va te soigner, Ariel va laver tes blessures, tu guériras, on ira dans la forêt, on se cachera dans la forêt... »

Surpris par ses propres paroles, il s'interrompit : d'où montaient-elles, de quel abîme ? La renarde bâilla, la gueule grande ouverte ; l'amande de ses yeux s'étira vers les tempes et ses oreilles pointues se rétractèrent. Les animaux – il l'avait remarqué naguère avec un chat malade – bâillent parfois d'une fatigue d'agonie. Mais il ne voulait pas qu'elle meure. Le fracas des fusils n'en finissait pas de retentir à travers l'air. La renarde s'appliquait à lécher la main posée tout près de son museau. Elle avait la rousseur de la jeune fille traînée par les pieds sur la route. Incapable de se retourner pour nettoyer son pelage, la bête léchait cette main comme par compensation. Bientôt, désolé, l'enfant aperçut des traces brunâtres sur sa paume. La renarde eut un hoquet, sa langue devint plus molle, toute gluante de sang, et ses yeux se voilèrent. Quand il voulut s'en saisir et l'emmener avec lui, ses pattes et sa tête s'affaissèrent d'un coup, comme si des fils invisibles et des baguettes cachées avaient été brisés. Il ne sut quoi faire de ce pauvre corps taché de sang, le posant dans les feuilles, le reprenant, tandis que sa fourrure s'horripilait et perdait sa chaleur. La mort est une marionnette.

9.

À proximité de la Vistule, fleuve nonchalant entre maints lacs et affluents, une escadrille de Junkers Ju 88 avait détruit les deux grosses bourgades jumelles réunies sous le nom de Joniec. C'était au lendemain du dynamitage du seul pont sur arches de la contrée par des éléments de l'armée régulière en déroute. Chaussées éventrées, murs de façade noircis aux fenêtres béantes sur la fuite des nuages, escaliers accrochés aux reliquats d'intérieurs d'où un lit ou quelque armoire vacillait au bord du vide, vestiges d'une église réduite à son clocher et dont le toit de zinc presque intact coiffait les décombres d'une école contiguë...

L'enfant se faufilait par courses brèves entre les gravats. Il avait assisté de loin au pilonnage, la veille au soir. Les bombardiers s'étaient acharnés, déchirant l'air ; longtemps après leur départ, des flammes avaient éclairé la nuit. Ce n'était pas la première fois qu'il traversait une zone urbaine en ruine. On y trouvait des caves où dormir, de la vraie nourriture dans les échoppes éventrées, toutes sortes d'habits et des objets plus ou moins salutaires, tels une gourde, un briquet à mèche d'amadou, une brosse à dents, des calots de verre, un canif à trois lames, une boussole. Aussi, quand les habitants enfuis sur les routes n'ont pas eu l'heur ou la hardiesse de revenir, des dépouilles humaines et animales en travers des rues et sous l'éboulis des bâtisses, la plupart en lambeaux, déchiquetées.

Tout en vagabondant au long des rues en grande désolation, l'enfant se récitait bouche close la prière si souvent entendue au shtetl. Détachées des yeux et du cœur et de la douce peau, les âmes écoutent-elles la bénédiction du kaddish faite pour les survivants? Il balbutiait des paroles de secours sans en comprendre un mot, si vieille musique de tête des vieillards de Mirlek. Alors qu'il vaquait d'un pan de ruine à l'autre par crainte d'être repéré, il découvrit des enfants sans vie, couchés là, devant la façade de la bâtisse couronnée d'un drôle de chapeau pointu. Leurs visages étaient lavés, leurs bras croisés sur la poitrine. Il y eut un nouvel effondrement de plâtras à l'intérieur. Quelqu'un cherchait à sortir. Le nuage de poussière blanche brusquement répandu par le portail et les fenêtres brisées enveloppa un spectre énorme, ogre ou golem de neige, qui tituba, les mains en avant.

—Je n'y vois goutte! dit l'apparition en expectorant et en se frappant les côtes des deux poings, ajoutant de la poussière à la poussière.

Le petit vagabond eut un mouvement de recul qui le mit en lumière.

— Ne te sauve pas! lança la créature qui reprenait peu à peu figure.

À bonne distance, prêt à déguerpir, l'enfant s'étonna de la métamorphose. Un prêtre devant lui achevait de secouer sa soutane.

— Tu n'es pas d'ici, dit-il. Mais que fais-tu seul dans ce chaos? D'où viens-tu donc?

Les paumes tendues par manière de protection, son vis-à-vis demeura coi, affichant un air de défiance intriguée. Le prêtre comprit aussitôt dans quelle sauvagerie s'était replié l'enfant. Cependant il ne cherchait pas à fuir et considérait tour à tour la flèche de zinc de l'église tombée de travers sur l'horloge surhaussée en tourelle de l'école, les petits cadavres en rang sage sur la chaussée et la face marbrée de plâtre, de larmes et de suie du bonhomme, lequel tentait d'esquisser un sourire.

Aux confins de Mirlek, dans le faubourg chrétien séparé du shtetl par les entrepôts d'une scierie assourdissante où l'on fabriquait des traverses de chemin de fer, un curé à l'allure de fossoyeur venait de loin en loin donner la messe et les sacrements sous la nef de bois d'une chapelle. Après une course dans la campagne, il y a si longtemps, alors qu'il passait devant le calvaire du porche, le curé à la figure décharnée lui avait fait signe d'un geste avenant et s'était mis à ululer: « Venez, venez à moi, petits enfants de l'engeance de Dieu... » Surgie comme ces rêves aux moments d'intense fatigue, l'évocation laissa pantois le jeune garçon, ses yeux attachés à l'un des frêles cadavres, si pâle dans la clarté de septembre, si blanc de peau, les cheveux couleur de paille, ses doigts translucides croisés sur un col de blouse. Près de s'évanouir, les genoux fléchis, il sentit en lui comme une privation de substance, un arrachement. La mort est un pantin de verre.

—Allons! Ne regarde plus ça! ordonna le prêtre.

Sorti vivement des décombres, les pans de sa soutane balayant les corps couchés des écoliers, il se précipita pour retenir sa chute.

Les jours qui suivirent, nombre d'habitants de Joniec, tremblant de découvrir l'ampleur du désastre après avoir fui à travers champs une première attaque de stukas, revinrent sans hâte des communes voisines, qui en charrette à chevaux, qui en omnibus motorisé, maints autres à bicyclette ou à pied. Une fois leur infortune constatée, plusieurs se replièrent le jour même vers les gares ferroviaires accessibles, bien décidés à gagner Cracovie, Lodz ou Varsovie. Les rares édifices publics indemnes furent vite investis jusqu'aux combles. On molesta et chassa quelques familles juives elles aussi de retour, au prétexte que leurs maisons n'avaient guère souffert des bombardements. La priorité du deuil modéra l'esprit de pogrom, exacerbé depuis l'invasion soviétique, jusqu'à Wilno et Bialystok pour ce qu'on en savait.

Charpentiers, menuisiers, scieurs de long, tous les métiers du bois de la double bourgade et des environs s'employèrent à façonner des cercueils. Les vieilles gens les plus démunis reçurent les vêtements des défunts et tout le monde, durant la *nuit vide* du rite funéraire, se mit à chanter des psaumes de consolation, des cantiques invoquant l'imminence d'une éternelle quiétude. Jamais le curé de Joniec n'eut plus de besogne qu'en ces lendemains de ravage. Il lui fallait prier et chanter encore, flanqué d'un chœur de rescapés pusillanimes, tant à l'église décoiffée que parmi les gravats où gisaient de présumés disparus, enfin au cimetière engorgé dont on repoussa l'un des murs pour y creuser de nouvelles fosses.

Toutefois le prêtre avait pris soin de mettre à l'abri l'enfant de nulle part et lui accordait au moins autant d'attention qu'à l'ensemble de ses ouailles. Le presbytère avait la particularité d'être ceint de tilleuls et de marronniers séculaires qu'un haut mur de clôture enserrait étroitement. À l'abri d'un tel rempart, d'épaisses frondaisons généraient un îlot de nuit polaire où l'enfant évoluait en toute discrétion. Il s'était laissé capturer au milieu des décombres et des cadavres. Confié, lors de ces jours de funérailles, à la gouvernante, vieille dame impassible à l'odeur de savon noir, il hésitait encore entre se tapir et s'esquiver. Pour la première fois depuis des semaines, personne ne lui disputait son coin de territoire. Faut-il être enfermé pour se sentir libre ? Entre le presbytère aux allures de pavillon de garde-chasse et le mur d'enceinte, les vieux arbres occupaient si bien l'espace de leurs ramures entrelacées qu'on eût dit une retraite forestière préservée dans la ville. L'enfant se faufilait entre les troncs et grimpait aux branches, seul hôte d'un labyrinthe vertical qui, à hauteur des faîtages de tuiles, lui laissait entrevoir les bâtisses pourfendues et les éboulis que remuaient des terrassiers. Les convois funèbres se succédaient dans les rues, alternant avec des charrettes surchargées de meubles et de ballots qui cahotaient derrière les corbillards, comme si les morts déménageaient.

Le soir du troisième jour, des blindés légers ouvrirent la voie aux camions de la Wehrmacht : une unité d'infanterie des forces d'occupation venait prendre ses quartiers dans les vestiges de Joniec. L'enfant sans nom considéra le défilé depuis la fourchure d'un tilleul ; il attendit que passât le dernier véhicule pour gagner la salle à manger du presbytère. Imperturbable, le prêtre rentré entre-temps patientait devant une soupière fumante. Ils dînèrent face à face en silence, sous le maigre éclairage d'une lampe à pétrole, tandis que la gouvernante allait et venait d'un pas nonchalant. Le regard soucieux du prêtre fut soudain distrait par des tirs répétés de fusil-mitrailleur.

— Les voilà qui s'installent, dit-il pensivement avant de prendre son jeune hôte à témoin.

Ce dernier hocha la tête et, rompant pour la première fois son mutisme, il répéta les mêmes mots avec l'accent du shtetl.

— Oui, ils s'installent.

— Je m'en doutais, murmura à part lui le vieil homme.

— Là-haut, dans l'arbre, je les ai vus passer...

— Continue, parle, raconte-moi… Tu as bien un nom ?

— Je ne sais plus.

— Tout le monde a un nom !

— Je ne me souviens pas.

— Comment s'appelle ton père ?

— Mon père ? Mon vrai père ?

— Est-il vivant ? Où est-il, où vit-il ?

— À Lodz, c'est lui, le clown.

— Un clown ? À Lodz ? insista le prêtre d'une voix songeuse. Désires-tu te rendre à Lodz ? Il n'y a plus de pont pour traverser le fleuve. La ligne de chemin de fer est coupée…

— Oui, oui, je vais à Lodz, soutint l'enfant, persuadé que c'était la réponse attendue.

— Mais rien ne presse. N'es-tu pas tranquille ici ? Je te donnerai un peu d'argent. Il y a des barges sur la Vistule et des trains de l'autre côté. Il faudra faire très attention, mon petit ! En temps de guerre, pour les Juifs, il n'y a que des ennemis. Surtout ne parle pas aux gens, garde ton visage d'ange. Ils te tueraient si tu parles.

10.

L'institution Saint-Ulric était un orphelinat de la ville de Lowicz, sous l'autorité de l'archidiocèse de la voïvodie de Lodz. De tels établissements avaient été mis en devoir de recueillir les enfants de moins de douze ans déclarés en situation d'abandon caractérisé à la suite des événements. Le directeur diocésain de l'institution, quinquagénaire à la mise soignée mais au physique particulièrement ingrat, perdit patience devant le ton impérieux de son visiteur qui ne demandait rien moins que le droit d'interroger les orphelins récemment enregistrés dans son établissement.

— Et de quelle autorité vous targuez-vous, monsieur Rumkowski ?

— La mienne, et accessoirement celles qui s'imposent. Je connais parfaitement le sujet. J'avais moi-même la charge d'un orphelinat avant cette invasion, un hospice pour enfants juifs dont j'étais aussi le principal mécène. Mon rôle est de ramener au bercail les petits israélites égarés dans vos institutions. Y voyez-vous une objection ?

Campé derrière une table de chêne massif en vis-à-vis d'un insolite massacre de cerf élaphe suspendu entre deux portes, le directeur considérait son interlocuteur avec cette consternation empreinte de perplexité que suscitaient en lui les spécimens inattendus d'humanité qui se succédaient dans son bureau depuis la fin de la campagne de septembre. Un jeune couple austère d'origine allemande se revendiquant du *Nationalsozialismus* était venu la veille s'informer de la procédure à suivre pour l'achat en espèces d'un bambin polonais qui répondrait aux critères raciaux définis à Nuremberg et approuvés par le Reichstag. Des négociants en tout genre, promptement convertis au marché noir, ne manquaient pas de lui proposer chaque jour leurs services. Voilà moins d'une semaine, un haut mandataire du Gouvernement général, amateur de jeunes filles nubiles, avait étalé sur la table une liasse de reichsmarks pour avoir la permission de prendre quelques *Aktfotos*.

Vêtu de chic, costume marron de laine peignée à boutonnière croisée et chaussures de cuir à bout fleuri de même teinte, ses gants en peau glissés dans un chapeau Homburg tenu en main, Chaïm Mordechai Rumkowski souriait avec une complaisance réfléchie doublée d'une certaine morgue où l'infatuation le disputait à l'obséquiosité.

— On vous confie des petits réfugiés, des rescapés de ces épouvantables pilonnages, mais quelle preuve avez-vous qu'il s'agit d'orphelins ?

— Nous accueillons à Saint-Ulric tous les enfants en situation d'abandon dans la région, rétorqua le directeur. Enfin, ceux que les missions catholiques récupèrent ou que la police attrape. Ce qui signifie clairement, à bien lire les nouvelles directives, de parents décédés ou disparus et ne bénéficiant d'aucune mesure d'adoption. On nous demande, en somme, de faire de la garderie par ces temps de désordre! Le pays est livré au pillage. On exécute les patriotes par milliers dans tout le pays malgré les promesses des autorités allemandes, la Schutzstaffel et autres milices n'en font qu'à leur tête. Qu'allons-nous faire de tous ces enfants?

— Je vous parlais seulement des petits israélites.

— Il n'est nulle part question d'enfants juifs, et comment les distinguer?

— Vous plaisantez! dit Rumkowski avec une grimace équivoque. Ce n'est pas bien difficile...

Le directeur s'abstint de reconduire le visiteur en bas de l'escalier. Depuis la fenêtre donnant sur le grand portail gardé jour et nuit par un maître-chien, il suivit néanmoins des yeux son épaisse silhouette dans l'allée du parc tandis que les deux bergers allemands hurlaient à s'étrangler au bout de leur chaîne. Une Fiat Polski 508 l'attendait en bordure de route. L'individu devait être muni de tous les sauf-conduits pour circuler en véhicule privé à travers la voïvodie. Il ne manquait pas d'aplomb dans ces circonstances. Imaginait-il un instant qu'une institution comme Saint-Ulric eût pu commettre l'impair de cacher un enfant juif? Frau Beata, l'infirmière diplômée de l'établissement, surveillait de près l'intimité des garçons.

La surveillante générale, ancienne administratrice de la prison de Lowicz, avait l'expérience des duplicités ataviques. De son côté, sœur Augustov ne pouvait en aucun cas être dupée quant à la piété mariale de chacune des orphelines, fût-ce d'une convertie. Par ailleurs, la confiance du directeur dans son personnel enseignant était sans faille, avec une exception notable cependant, ce Profesor Glusk, trop enclin à la parodie et à la controverse. Inculquer l'esprit critique à des mineurs n'est-il pas la pire aberration ? Il se souvint de l'époque faste où lui-même enseignait à l'université de théologie de Cracovie ; il n'y avait pas un étudiant pour mettre en doute la véracité d'un seul point de liturgie dans ce contexte de sciences religieuses. Ce qui n'avait pas empêché le rectorat d'entamer à son encontre une procédure de licenciement pour incompétence et faute grave. Connaissant ses activités passées, l'archevêché était intervenu efficacement afin d'appuyer son droit de reclassement. Au demeurant rétrogradé, devenu un déclassé appointé, il n'avait jamais compris en quoi consistait sa prétendue inaptitude, et moins encore la nature de sa faute. Depuis le temps qu'il dirigeait cet orphelinat dans un profond tumulte intérieur, noyé de bile et de ressentiment, son incompréhension avait pris des proportions nouvelles, insoupçonnées. Célibataire constitutionnel, il occupait un logement de fonction au dernier étage de l'établissement, au-dessus des dortoirs des grands. Les bruits de galoches et les chamailleries ne le dérangeaient aucunement, au contraire des pleurnicheries de la pouponnière, véritable enfer pour lui. Un cri prolongé de nourrisson égalait en torture les stridulations des sirènes du réseau d'alerte. Par chance, il habitait l'aile opposée et les bombardements n'étaient plus d'actualité.

Quelqu'un poussa la porte sans y être invité et surprit le directeur guettant la rue.

— Profesor Glusk, encore vous! s'écria-t-il dans une volte-face tétanique. Ce ne pouvait être que vous...

L'intrus hocha la tête, affichant un air de gravité inhabituel derrière ses lunettes d'écaille à double foyer.

— J'ai à vous parler, dit-il seulement.

— Quoi encore?

— Il y a des tueries aux abords de Lowicz. Et c'est pareil dans tout le pays. La Gestapo et ceux de la Kripo ont en main un annuaire de milliers de noms, ils appellent ça le «Livre spécial des individus polonais recherchés». Avez-vous entendu parler des Einsatzgruppen? Ces unités de police chargées de l'opération Intelligenzaktion assassinent l'élite, les médecins, les prêtres, les juristes, les artistes, tout ce que la Pologne compte d'intellectuels. Et savez-vous pourquoi les Juifs doivent se faire inscrire sur les registres communaux?

— C'est une obsession! Nous n'avons pas d'israélites chez nous, et encore moins de représentants de l'élite, ne vous en déplaise! Saint-Ulric est à l'abri de toute cette agitation, croyez-moi.

— Une obsession, dites-vous?

— Oui, une monomanie, un tic, une marotte!

Profesor Glusk considéra la figure empourprée du directeur. Il y avait dans son expression un curieux embarras, comme s'il ne voyait rien précisément de ce qui l'entourait, hormis des signes intermittents, une sorte de morse mental. La plus monstrueuse proscription en cours n'était pour lui qu'une marotte.

— Les nazis viendront bientôt m'arrêter, dit-il calmement. J'en ai été averti par mes amis du cercle Maulenwicz avant qu'ils le soient eux-mêmes.

— Je ne veux pas le savoir! lui fut-il répliqué d'une voix suraiguë. Le règlement interdit toute déclaration politique à l'intérieur de l'établissement...

— Je suis venu vous annoncer ma mise en congé à la fin du mois.

— Votre démission plutôt! fulmina le directeur. On ne s'absente pas comme ça!

— À votre guise. Après tout vous ne perdrez qu'un professeur de musique, puisque la philosophie ne s'enseigne plus. Mais prenez garde aux enfants, votre infirmière prussienne, elle aussi, fait ses rapports...

— Frau Beata est irréprochable!

Profesor Glusk s'efforça de capter un point de stabilité dans ce regard parfaitement incolore.

— C'est avec des gens irréprochables qu'on asservit un pays, déclara-t-il du bout des lèvres avant de tourner les talons.

II.

Depuis son interpellation en gare de Lowicz, l'enfant n'avait pas quitté une seule fois Saint-Ulric, étrange forteresse gardée par des chiens et de grandes femmes despotiques. On l'avait contraint à tellement d'absurdités jour après jour qu'il s'était muré au plus profond de lui-même, ne répondant à rien ni à personne. Son unique aspiration était de s'évader de là au plus tôt. Sa première tentative, la seule encore – huit jours après son enregistrement sous l'identité élective de Jan-Matheusza, faute d'éléments d'état civil –, avait été sanctionnée par une mise en quarantaine qui ne changeait à peu près rien à ses habitudes, après maints obscurs sermons des Trois Gorgones de Saint-Ulric, comme Profesor Glusk les surnommait. Il se souvenait avec une relative indifférence de divers sévices et réprimandes, particulièrement de la mimique indéfinissable de Frau Beata, géante aux mains de poupée, lorsque le retournant d'une gifle sous la douche glacée, elle l'obligea à se montrer. *Nie jest bardzo katolicki!* s'était-elle exclamée. Mais Frau Beata, pour de troubles motifs, ne l'avait pas dénoncé. Et les enfants de l'institution, naturellement impressionnés par l'indiscipline, le laissèrent à peu près tranquille. Attirés par sa joliesse séraphique, certains parmi les plus grands chuchotaient des *Jude !* sur son passage, dans un élan de pleutrerie. La rumeur venue des douches le cernait d'allusions mauvaises. Le dénommé Jan-Matheusza en comprenait mal l'enjeu mais se savait en péril : une animosité de couards s'était infiltrée partout, chez les proies désignées comme chez les prédateurs potentiels. Le directeur, que les orphelins entre eux appelaient Kurdupelek, faisait claquer ses talons dans les couloirs, prêt à prendre en faute le premier bambin venu. Dans les dortoirs, en classe de garde ou à l'infirmerie, les Trois Gorgones négociaient la délation pour un sucre. Sœur Augustov, pourtant instruite de leurs traumatismes, tourmentait les nouveaux venus sur le chapitre du catéchisme. Par grande défiance, Jan-Matheusza mimait l'assentiment ; il avait assimilé le scandale intime qui l'excluait de toute communauté, mais ne pouvait toutefois se résoudre aux simagrées dévotes. Génuflexions et signes de croix trempés ou non d'eau bénite étaient pour lui des pantomimes à peine moins alarmantes que le pas de l'oie ou le salut hitlérien. Et l'homme mort du calvaire planté sur un mur du réfectoire lui semblait aussi incongru que le massacre de cerf élaphe entrevu dans le bureau du directeur. Il n'empêche que cette disqualification sournoise avait valeur d'apprentissage : on lui parlait de ses croyances et loyautés du point de vue d'un persécuteur légitime. Ici, les vieux contes juifs bien connus se retournaient toujours en haine du judaïsme. La famille du Petit Poucet Jésus et de ses frères les apôtres était pleine d'ogres à papillotes. Tout un monde virginal de saintes et de chérubins voulait persuader insidieusement l'enfant sans nom, baptisé Jan-Matheusza, de l'infamie de son engeance.

Un matin pluvieux d'automne, peu après la sonnerie du département scolaire, les hurlements des chiens annoncèrent la survenue d'une délégation de la Waffen-SS. Le directeur de Saint-Ulric affolé se précipita dans les pas du concierge.

— Simple démarche de courtoisie! déclara avec un large sourire le Generalleutnant affecté à l'administration de la vovoïdie de Lodz.

Lui et son escouade furent invités à prendre une collation dans le foyer du personnel, cependant l'officier refusa sèchement le thé anglais spécial du directeur et demanda qu'on lui fasse plutôt visiter les locaux de l'institution. Flanqué de son aide de camp et de deux caporaux en armes, avec pour cicerone un pantin affable, le Generalleutnant déambulait à sa guise, s'arrêtant ici et là afin d'évaluer les volumes des bâtiments, faire ouvrir une fenêtre ou une porte, traverser tête baissée un corridor obscur.

À l'étage, après quelques pas, il s'immobilisa et tendit l'oreille. Un chant d'enfant *a cappella* parut le captiver.

Écoute ô terre, écoutez ô tombes
La force céleste des trompes des archanges
Nous irons, nous irons en des terres inconnues

Une main sur la poignée, le Generalleutnant poussa doucement la porte de la classe et s'enthousiasma :

— *Ein schönes arisches Bild !*

Devant cette intrusion d'inconnus bottés et sanglés dans leurs uniformes, les élèves se dressèrent aussitôt hors des pupitres, les bras vivement croisés. Sur l'estrade, désemparé, Jan-Matheusza regardait son maître qui s'efforçait de contenir sa colère.

— De grâce, messieurs, sortez ! Nous sommes en cours ! finit par s'écrier ce dernier dans un allemand parfait, au grand trouble du directeur.

L'officier serra les mâchoires et dit quelques mots à l'oreille de son aide de camp avant de défier la classe et son magister.

— Sortir, nous ? Quelle prétention d'esclaves ! Peuple d'esclaves, enfants d'esclaves ! Sauf peut-être ce petit chanteur, là…

Le Generalleutnant effectua une volte-face réglementaire et, soudain pressé, se dirigea d'un pas nerveux vers l'escalier.

Blême, secoué de tics, le principal dégringolait les marches à ses côtés en quémandant sa mansuétude.

— Vous avez de la chance, *lieber* Direktor ! lui susurra l'Allemand devant les berlines de la police militaire. Vos locaux sont bien mal agencés, insalubres, sans confort. On doit y geler l'hiver. Nous installerons notre Kommandantur ailleurs. Dans la mairie de votre ville par exemple, grands espaces, bonnes prestations…

Une brusque averse abrégea ces adieux. Le Generalleutnant gagna hâtivement l'arrière du véhicule tandis que son chauffeur mettait le contact. Il entrouvrit la vitre et fit signe à son interlocuteur d'approcher.

— Et comment s'appelle ce maître de chant discourtois ? s'enquit-il sur un ton goguenard.

— Glusk, Profesor Glusk. Je suis bien désolé, Herr General ! répondit le directeur, la face ruisselante.

C'était maintenant le plein automne. Les feuillus s'empourpraient aux abords des lacs et des rivières. Entre deux montées de brume ou deux averses zébrées d'éclairs, le soleil ravivait de feux sombres et d'azur les grands vitraux changeants d'arrière-saison, paysages aléatoires tout en perspectives, pénétrés de couleurs vives et comme sertis de branches. L'ocre des chaumes avait une intensité d'incendie, le soir, au crépuscule. Chaque jour plus denses, des bandes de freux semblaient vouloir suppléer au dépeuplement des campagnes. Les cheminées éparses des hameaux et des fermes boucanaient au vent de la plaine mêlant l'odeur mielleuse des flambées à d'âcres senteurs de bûchers. Les clochers des églises sonnaient toujours vêpres ou ténèbres, à l'intention des seules bigotes. Peu d'hommes se montraient au grand jour, afin d'éviter les rafles. Ou alors isolément, parce qu'il fallait nourrir les bêtes ou livrer les quotes-parts des moissons aux coopératives menacées de confiscation administrative. Les vieilles paysannes moins craintives allaient au bois mort munies de sangles ou à la traite des brebis avec leur brouette sonnante dans les pâtures. Tant dans les territoires annexés au Reich que dans ceux, chaotiques, du Gouvernement général, l'occupant laissait faire les Einsatzkommandos, meutes funestes à la traîne des mouvements invasifs de la Wehrmacht, lesquels massacraient *au petit bonheur* parias, patriotes et autres individus d'espèce antagoniste, tout ce qui ressemblait aux minorités honnies. En préambule aux premiers rassemblements de populations, planifiés de longue date, la terreur instituée comme méthode de maintien de l'ordre laissait toute latitude aux hordes d'exécuteurs, avec pour objectif l'entière germanisation de l'ex-Pologne. Forcément instruits des campagnes meurtrières en cours, dites de pacification, les démocrates de tous bords, irréligieux ou de diverses confessions, tentaient d'échapper par tous les canaux imaginables et dans une totale incertitude au blocus d'acier que l'armée victorieuse, en partition avec leurs alliés soviétiques avaleurs des confins, verrouillait chaque jour davantage.

À Lowicz comme ailleurs, les enquêtes policières sur imputation, les arrestations arbitraires et les contrôles ethniques s'étaient multipliés. Profesor Glusk n'ignorait pas quel sort l'attendait dans cette petite cité provinciale où la délation participait des mœurs sur un mode jusque-là irréfléchi. Avertis d'un coup de filet imminent, les camarades encore libres du cercle Maulenwicz s'organisèrent pour faciliter son transfert à Lodz. On ne peut surseoir à la fatalité que dans une grande ville, seule propice à la clandestinité. La veille, décidé à ne pas manquer sa dernière classe de musique avec les orphelins de Saint-Ulric, un incident l'avait contraint à précipiter son départ. Alors qu'il leur interprétait à l'harmonium la *Chanson de l'adieu* de Chopin, la surveillante générale, rude mégère aux solides épaules, était venue à l'improviste chercher l'un de ses élèves sur ordre du directeur. L'enfant s'était rebiffé. Il y eut une brève course entre les pupitres comme au jeu du loup, ce qui provoqua l'hilarité générale. Un bon sujet en culotte courte lança joyeusement, d'une voix nasillarde : « *Jude ! Jude !* Le Juif chez les Allemands ! » D'abord surpris, considérant tour à tour la face furibonde de la surveillante et l'air traqué de l'orphelin, Profesor Glusk eut soudain le pressentiment de ce qui se tramait. En aucun cas il ne laisserait l'une ou l'autre des Trois Gorgones livrer Jan-Matheusza ou n'importe lequel de ses élèves au Generalleutnant.

12.

Le docteur Osęka attendit le soir pour conduire ses hôtes à bonne adresse dans l'épais brouillard automnal. Depuis les hauteurs boisées de Lowicz, on distinguait à peine les lumières de la gare. Le sifflement des trains au loin laissait rêver d'un autre monde. Il fallait continuer à se battre, sinon à combattre, même si l'espérance manquait à l'appel. Presque tout lui semblait perdu pour longtemps. Les luttes à mener au pays ne serviraient qu'à garder vivante l'âme de la Pologne, l'âme de ce grand corps sans physionomie bien définie et une fois de plus humilié, torturé, écartelé. En attendant que ses alliés de la charte démocratique sortent d'une indigne somnolence. Comment survivre aux martyrs parmi les bourreaux et leur valetaille ? Il était probablement l'un des derniers survivants du cercle Maulenwicz dont la quasi-totalité des membres furent abattus armes à la main le jour même de leur dénonciation. Une mésentente sur les actions à mener face à l'occupant l'avait tenu à l'écart de l'ultime réunion. Par un détour navrant du hasard, c'est son refus des sanctions extrêmes envers les collaborateurs de tout poil qui lui avait sauvé la vie. Ne pouvait-on pas récuser l'arbitraire, résister en pacifiste ? Et cette chance imméritée le mettait à la torture depuis qu'au fond de lui une sorte de rumeur, les voix hostiles d'un rêve, l'incriminait sans rémittence. Aurait-il partagé avec un tiers extérieur au réseau quelque information sensible, par simple étourderie, serait-ce dans son sommeil ?

— Je me reprocherai toute ma vie de n'avoir pas été avec eux ce soir-là.

— C'est la guerre, objecta Profesor Glusk assis près de l'enfant endormi. Tous les proches des victimes se croient coupables. Les guerres ne font que des morts et des coupables. Et celle-là commence à peine, je le crains.

Le docteur Oseka examina d'un œil curieux l'ex-maître de conférence de l'éminente université Jagellonne de Cracovie. Profesor Glusk, comme on l'appelait sans pouvoir décoller le sacerdoce du patronyme, avait par miracle échappé à la déportation au camp de Sachsenhausen avec ses collègues pour avoir effrontément refusé une convocation officielle du recteur Lehr-Splawinski lancée à l'instigation de Bruno Müller, gestapiste en chef, lequel attendait ce docte petit monde en embuscade. Réfugié à Lowicz et devenu simple répétiteur à l'institution Saint-Ulric où ses compétences de musicien furent vite mises à profit, il s'était glissé dans l'anonymat avec cette délectation des vrais sages. Lui non plus n'était pas présent à cette réunion du cercle qu'ils eussent tous les deux volontiers honorée. On lui avait fait comprendre que les plus exposés devaient se tenir à l'écart pour le bien commun. Sans résultat probant, songea-t-il. Profesor Glusk, nonobstant, avait une corde de pendu dans sa poche. Dans l'immédiat, il s'agissait d'exfiltrer un patriote et un enfant juif avant le couvre-feu. Le chef de gare de Lowicz, qui n'aimait guère les nouveaux maîtres, avait accepté de coopérer en souvenir de soins longtemps salvateurs apportés à une épouse condamnée.

— Le convoi sera direct pour Lodz, précisa le docteur Osęka. À l'arrivée, vous vous débrouillerez pour éviter les contrôles.

— Et dans le train ? demanda Profesor Glusk.

— Pas besoin de billets, c'est un train de marchandises. Il n'y a rien de plus sûr qu'un wagon à bestiaux. Vous serez dans le dernier avec quelques moutons et beaucoup de paille…

Même dans la plus féroce adversité, on peut non sans raison miser sur l'enchaînement de minuscules prodiges qui, en s'additionnant, ont tout l'air d'un miracle. Le brouillard par chance avait forci au point d'effacer les rares silhouettes. Son fanal en main, le cheminot conduisit lui-même les fugitifs en bout de quai. La locomotive siffla au loin par deux fois et entra en gare à l'heure dite sous les charpentes d'acier des marquises, après l'appel convenu du chauffeur. Sa cheminée lâchait des tourbillons de fumée aussitôt mêlés aux brumes. Les soupapes des purgeurs stridulaient à hauteur des bielles motrices ; des jets de vapeur blanche balayèrent toute la longueur du quai avant de se répandre en nuées cotonneuses sur les voies ferrées. Le train de marchandises repartit sans tarder, laissant le porteur de fanal longtemps méditatif au bord des rails envahis d'une procession de fumerolles spectrales à l'odeur de charbon.

Assis dans la paille, au fond du wagon où des ovins malmenés par les cahots observaient les nouveaux venus, l'homme et l'enfant de leur côté scrutaient les pleines ténèbres parcourues de lueurs à travers les fentes des cloisons. Le chef de gare qui avait décroché le système de fermeture afin qu'ils pussent sortir à tout moment, avec pour recommandation de bien le verrouiller derrière eux, s'était inquiété des risques d'attentat. Il avait précisé drôlement : « Pour vous deux surtout, les bêtes confisquées par les Boches iront n'importe comment à l'abattoir. » Ceux des maquis s'employaient à repérer les caches d'armes abandonnées par l'armée polonaise en déroute, à prendre d'assaut des entrepôts ou à neutraliser les patrouilles ennemies. Après l'effondrement et la stupeur se déployait peu à peu dans les villes et les campagnes une guerre sporadique d'escarmouches immanquablement suivies de répressions massives. Encore en gésine, l'Armia Krajowa qui se préparait à unifier les réseaux spontanés de résistance, se voulait prête à tous les combats comme à tous les sacrifices. En dépit des objections du brave docteur, Profesor Glusk allait rejoindre sa branche exécutive de Lodz, bien déterminé à rompre avec l'esprit du cercle Maulenwicz anéanti pour cause d'ingénuité. L'engagement humaniste, pas plus que la musique de Chopin, ne saurait défendre la paix une fois celle-ci démesurément outragée par la terreur brune. Les cruautés doivent être commises toutes à la fois avant de dispenser de lents et parcimonieux bienfaits aux vaincus, enseignait l'auteur du *Prince*. Mais les nouveaux tyrans se moquaient bien de Machiavel et de l'amertume des peuples.

Pourquoi les trains sifflaient-ils sans motif dans la nuit ? Profesor Glusk s'allongea dans la paille. Le halètement sourd des boggies, la chaude odeur animale et les murmures du vent dans les interstices avaient fini par calmer ses coléreuses ruminations. N'ayant rien d'autre à perdre que la vie, ce qui devait advenir adviendrait ; et il n'aurait pas même besoin de surmonter sa peur. Des yeux luisaient autour de lui par intermittences, ceux des moutons et de l'enfant. Depuis leur évasion de l'institution Saint-Ulric – car il avait bien fallu se dérober à la vigilance du directeur et du personnel à sa botte –, Jan-Matheusza s'était replié dans un mutisme à peine coupé d'un ou deux mots de connivence face à la menace ambiante. Apparemment impassible, sa jolie figure captait le moindre atome d'information, bruits infimes, soupirs, vibrations, odeurs, reflets. Le silence était chez lui le signe manifeste d'une attention exacerbée. En permanence aux aguets, il semblait pourtant confiant, assuré dans ses gestes. Mais quelque chose clochait dans sa physionomie, une sorte de cascade expressive parfois, de brusque dédoublement, comme un saut d'image. Dans son sommeil, alangui, il demeurait sur ses gardes par un fil, entrouvrant à tout moment un œil que voilaient encore les fantasmagories d'un rêve. Paupières closes, il paraissait voir ce qui advenait au plus profond du jour ou de la nuit, comme à travers une eau vive qui eût subtilement animé ses traits. Les enfants de la guerre surviennent avec leurs secrets, un sceau d'abandon impossible à briser marqué dans leur chair. Profesor Glusk en avait vu défiler à Saint-Ulric, la plupart distraits et joueurs, prêts à se croire heureux, mais souvent irascibles, pauvres en mots, travaillés par l'oubli et la peur, avec une terrible résignation dans le regard. Par grand mystère, l'espèce d'attention animale de Jan-Matheusza n'était pas sujette à l'interprétation. Tapi dans l'obscurité de ce wagon tintinnabulant qui les menait à leur destin, un chat perdu l'observait, ou un renard pris au piège.

— N'as-tu donc jamais sommeil ? Tes prunelles clignotent comme deux petites étoiles...

Jan-Matheusza ne répondit ni ne sourit, mais il ne lui déplaisait pas qu'on s'adressât à lui. D'autres questions allaient suivre, il les sentait se former, bulles de salive vite éclatées au bout de la langue ou des mots.

— As-tu faim ou soif ? Le docteur m'a donné ce qu'il faut. Du pain frais et du jambon. Ah ! J'ai un bout de fromage si tu n'aimes pas le porc...

Qu'en sait-il donc, Profesor Glusk ? Au début, le jambon lui avait blessé les lèvres à en saigner mais la famine des réfectoires guérit vite des interdits, corne fendue ou pied fourchu.

Au sortir d'un tunnel où les bielles hachèrent les nuages concentrés de vapeur noire, le train entra dans un orage, éclairs et tonnerre soudains. Jan-Matheusza crut à un bombardement et retint son souffle. En lui résonna un abîme, des images flambantes palpitèrent. Il se boucha vivement les oreilles.

— Ne t'inquiète pas, dit son maître de musique, ce n'est que la foudre.

L'outre du ciel creva enfin dans un long craquement et des trombes d'eau s'abattirent en tambourinant sur le toit du wagon. Dehors, les halos de rares réverbères annonçaient la ville. Craignant d'avoir été mal compris, Profesor Glusk rappela une fois de plus les consignes à l'enfant. Il devait le suivre à courte distance, sans jamais coller à ses pas ; et si on le contrôlait, surtout rester tranquille. N'était-il pas son cher fils Jan-Matheusza Glusk ? Le docteur Osęka leur avait transmis un vrai livret de famille falsifié. Il est moins difficile de tromper l'étranger que ses compatriotes en matière de faux papiers. Au cas où la police nazie s'interposerait, il lui faudrait le laisser en plan et fuir à toutes jambes le plus discrètement possible, comme un petit voleur des rues ; mais cela ne se produirait pas. Dans quelques minutes, tous deux allaient descendre de leur wagon avec une discrétion de couleuvres et suivre leur plan de route jusqu'au contact prévu, un chapelier de la rue Narutowicza. Après cela, les choses devraient s'organiser au mieux ; lui irait travailler au conservatoire de musique de Lodz toujours en activité et Jan-Matheusza serait pris en charge par une famille juive relativement aisée, les Korowicz, connus pour leur mécénat d'artistes. Malgré les embarras de l'occupation, son cher fils, selon le document d'état civil contrefait, pourrait venir suivre des cours de chant et de solfège au conservatoire. Sa voix d'ange méritait d'être travaillée.

— Te rappelles-tu cet air que je t'ai appris à Saint-Ulric ? s'anima gaiement Profesor Glusk en se mettant à fredonner bouche close la mélodie. Eh bien, chantons-le maintenant s'il te plaît ! Nous sommes presque arrivés à destination. Chantons une fois encore pour ces malheureux moutons voués à l'abattoir et pour la Pologne !

> *Écoute ô terre, écoutez ô tombes*
> *La force céleste des trompes des archanges*
> *Nous irons, nous irons en des terres inconnues*

13.

On les avait repérés alors qu'ils sortaient de la gare de Radogoszcz par un chemin de terre non balisé. Ou plus certainement quelques minutes plus tard, dans l'ombre des arbres, sur la grande place déserte et mal éclairée. Profesor Glusk avait fait signe à l'enfant de rester en retrait, en espérant que sa maigre silhouette passerait inaperçue. Trois hommes en gabardine venaient de s'extraire d'une berline noire à l'arrêt devant les entrepôts des chemins de fer et s'étaient précipités vers eux en ordre dispersé. Mis en joue par trois canons de Mauser semi-automatique, Profesor Glusk se laissa interpeller et fit en sorte d'occuper l'attention des gestapistes sans rien trahir de son inquiétude.

Le vent s'était levé ; une pluie fine lustrait le macadam. Des bourrasques détachaient les larges feuilles des érables qui chutaient l'une après l'autre comme des mains d'ombre contre un miroir ; par brassées, celles minuscules des faux acacias voltigeaient et papillonnaient par-dessus les constructions basses. L'enfant chercha des yeux une cachette. Il eut l'idée de s'enfoncer tout entier dans un amoncellement de feuilles mortes, manière de congère palpitante entre la carcasse en fonte d'un banc public et une palissade de gros échalas. Tapi sous cette bâche végétale aux senteurs de tombeau ou de femme endormie, Jan-Matheusza entendit l'hystérie froide des agents de la Gestapo expectorant leurs ordres. Menotté sans autre éclat, Profesor Glusk fut conduit à l'automobile. Le pire s'était produit malgré leur discrétion de couleuvres. Celui qui ne serait jamais son père avait préféré se rendre pour ne pas le mettre en péril.

Des feuilles dans les cheveux, longeant les murs, Jan-Matheusza courut se cacher plus loin, dans la ville paralysée, au fond d'une cour obscure de la rue Narutowicza. Affamé, il grignota un dernier encas au jambon sous l'auvent d'une remise à carrioles. Le ciel s'était peu à peu dégagé ; un vaste carré d'étoiles écorné d'un croissant de lune éclaira faiblement l'épais pavement qu'un rat vint explorer par courses brèves. Fallait-il se mettre en quête d'un abri plus sûr ? Il ne doutait pas d'être en terrain hostile, mais qui eût pu voir en lui autre chose qu'une graine de vagabond négligeable ? Demain lui donnerait des lumières, fût-ce celles du petit jour.

Depuis la défaite, il n'y avait plus assez de fourrières pour enfants, et les plus démunis pouvaient mendigoter ou bricoler à leur guise. Par temps de guerre, on a besoin de crieurs de journaux, de cireurs de souliers ou de ramoneurs filiformes payés en menue monnaie. Jan-Matheusza commença par laver les carreaux et les vitrines pour quelques grosz. La faim, seul principe de réalité, supplanta en lui toute réflexion. Certaines nuits de grande fatigue, parfois, l'ombre soucieuse de Profesor Glusk visitait ses rêves. Dans l'incertitude de son propre sort, en dépit d'apparences contraires, l'enfant imaginait mille issues chanceuses pour son libérateur. Profesor Glusk n'était pas un homme ordinaire ; sur la place de la gare, il avait répondu avec flegme aux Allemands dans leur langue. Peut-être saurait-il se rendre invisible ou si parfaitement identique à eux qu'on le laisserait partir. Ou bien débiterait-il aux méchantes personnes cette prière magique déguisée en conte qui endort immanquablement ceux qui l'écoutent. Ou encore se tiendrait-il hors de la folie du monde en traçant autour de lui un cercle d'invulnérabilité. Épuisé par sa journée, Jan-Matheusza envisagea quantité d'autres manières de se volatiliser et disparut lui-même à la fin, confit de sommeil, dans l'une des carrioles munies d'un toit de bâche.

À travers les places et les avenues du centre-ville, errant depuis l'aube, il s'étonnait de l'immensité verticale, de la clameur des rues et des places, de l'agitation sans mesure en tous lieux. Ces hautes façades en perspective, ces palais, ces colonnades et ces temples de pierre étaient-ils nés des montagnes et des forêts ? En bas, le long des vitrines, des portails et des cours, la foule allait vivement d'un côté comme de l'autre, indifférente aux officiers victorieux en promenade ou à ces soldats de plomb grandeur nature, casqués, articulés, qui défilaient aux carrefours, dans les blindés, derrière les chevaux de frise. Elle se montrait d'ailleurs pareillement indifférente aux quémandeurs et aux indigents couchés dans les coins, et presque hostile eût-on dit envers l'indolence des bohémiens errants par petites troupes ou l'apathie des bandes de loupiots loqueteux montés des quartiers pauvres. Comme aveugle à elle-même et aux circonstances, la foule allait à ses affaires avec une déconcertante précipitation.

On parlait le polonais et l'allemand ici et là, plus timidement l'ukrainien et le biélorusse, d'autres langues encore, inconnues ou mélangées. Quand Jan-Matheusza entendit des mots du shtetl, il se rapprocha instinctivement, comme un animal qu'on appelle. Les chiens et les chats ignorent leurs noms, ils répondent seulement à une tonalité familière. *Ale shusters geyen borves* sonnait clair à son oreille, quoiqu'il n'eût jamais compris pourquoi les cordonniers dussent marcher pieds nus. Deux hommes bien vêtus, aux souliers vernis et aux larges chapeaux d'où s'échappaient les papillotes palabraient sans prendre garde à l'animosité des regards autour d'eux. La ville à cette heure semblait battre le fer et fouler le vin, tant le vacarme des tramways et des convois motorisés, le tumulte des chantiers hérissés de palans au-dessus des décombres et des chaussées excavées, les milliers de pas précipités dans l'ombre et cette rumeur indistincte accumulée par-delà les murs et les toits, concouraient à la rendre pareille à une folle mécanique sans contours ni usages définis.

Jan-Matheusza suivit les grands chapeaux volubiles dans la cité ; leurs paroles aux sonorités familières lui semblaient un peu destinées. Les deux hommes cheminaient par les rues sans crainte apparente ; l'un d'eux n'avait pas remonté assez haut son châle de prière sous la redingote, laissant dépasser les tresses des tsitsit censés retenir la lumière des Commandements. Ils conversaient de confiance en riant fort. Le plus vieux, serré dans son manteau de laine malgré la tiédeur de l'air, entortillait distraitement sa barbe grise entre ses dix doigts.

— La *Emouna !* s'écria-t-il. C'est comme ta femme, il faut y croire. Avec elle, tu grimpes les quatre marches de l'échelle de Jacob, une couronne sur la tête. C'est grâce à cette foi aveuglément renouvelée que s'ouvre la mer Rouge ! *Yéchouat Hachem kééref ayine.* Les anges veillent sur l'homme confiant…

Rue Wolborska, le plus jeune hassid, son chapeau de travers, montra de l'index les planches clouées sur la vitrine d'une boutique de tailleur mise à sac. *Jude* était tracé à la peinture jaune par-dessus l'enseigne. En lettres blanches plus petites, un peu partout, une main avait rajouté le même mot en polonais : *Zyd, Zyd, Zyd,* comme pour confirmation.

— C'est déjà un miracle d'exister, admit-il.

— D'un mal naîtra un bien, opina le plus vieux. Si Joseph n'avait pas été jeté dans la fosse aux scorpions, il n'aurait pu échapper aux intentions meurtrières de ses frères…

La nuit tombe plus tôt les soirs de shabbat, mais il faisait bien doux pour un 10 novembre. Parvenus à proximité de la grande synagogue de briques rouges aux belles arcades mauresques de la rue Wolborska, les hassidim se turent en voyant les grilles d'enceinte closes et des soldats de la Wehrmacht en armes sur l'escalier du haut portail. Une automitrailleuse postée place Saltzman effrayait les fidèles qui arrivaient par deux ou trois et se regardaient les uns les autres avec consternation avant de quitter les lieux en silence.

— *Gam zou letova*, allons voir ailleurs ! dit l'homme en redingote qui venait de remarquer du coin de l'œil le gamin dépenaillé à leurs basques.

Mais la synagogue Wolynska, au bout de la rue Wolczanka, avait elle aussi été investie par les Allemands. Un véhicule blindé stationnait à l'extérieur. Cependant l'accès du temple restait libre et l'on entendait depuis son seuil la mélopée du kiddouch. Les deux hommes talonnés par l'enfant n'hésitèrent pas un instant à entrer. Rassérénés d'être à l'heure pour l'office, ils reconnurent le rabbi Segal devant l'Arche, assisté des bienfaiteurs du conseil d'administration. Après déclamation des dix versets choisis du Sefer Torah ouvert au regard des trois lecteurs, et une fois accomplie la cérémonie du pain et du vin, on remit en place les saints rouleaux et le chantre entonna la prière de la sanctification du jour à voix pleine, dans les résonances de l'orgue, en mémoire de la Création du monde et de l'Exode hors d'Égypte. De part et d'autre de l'Arche, campés devant les portes menant à la salle d'étude ou à la chambre de repos, des officiers de la Waffen-SS considéraient le rituel avec une curiosité quasi ethnologique, certains adossés aux pilastres, d'autres raidis dans leur attention. En retrait, un caméraman du bureau de propagande filmait posément la scène. L'occupant avait exigé d'être reçu en observateur sans donner ses raisons. Moins visibles, dans la salle dépeuplée où seuls les disciples du rabbi avaient osé s'aventurer, des soldats casqués, mitraillette au poing, attendaient les ordres. Cette glaciale intrusion qui jetait l'effroi et, paradoxalement, portait l'émotion du chantre et du chœur des fidèles à des accents déchirants de beauté s'acheva dans l'épouvante et les cris. L'athlétique Untersturmführer, initiateur de cette opération commando, extirpa un Mauser de son étui et marcha vers l'autel.

— Sors-moi ces rouleaux! ordonna-t-il au rabbi, son arme pointée sur les tentures brodées de l'Arche sainte.

Rendu aphone de saisissement, le Rav voulut expliquer par des gestes désespérés que ce n'était pas possible, que ce serait un grand péché, mais l'officier tapa du pied en hurlant:

— *Schwein Jude, schnell, oder du bist tot!*

Il fallut obtempérer et rouvrir les portes en bois d'acacia du Saint des saints. Le Rav souleva le Sefer

Torah contre son épaule gauche et, des larmes plein les yeux, se tourna vers son tourmenteur avec un air de défi, comme si Dieu en personne était à son côté.

— Maintenant déchire-le! dit froidement l'Untersturmführer en approchant le canon de son Mauser de la tempe du vieux Juif. Mets ces vieilleries en pièce où je t'abats sur place!

Le rabbi, lâchant prise, tomba à genoux; le Sefer Torah alla choir et se déploya devant lui en accordéon. Un long cri sans voix, une plainte inhumaine sortit alors de sa gorge et il se jeta éperdument, convulsivement sur les antiques parchemins en peau de chèvre qu'il se mit à froisser, à distendre et à démanteler à pleines mains devant les fidèles confondus tandis que les gradés allemands s'esclaffaient, mimant l'indignation devant cette scène d'hystérie. L'Untersturmfürher vint saluer l'assistance d'un air déférent avant de se mettre à piétiner rageusement les soixante peaux éparses. Satisfait, il repoussa d'un grand coup de botte le rabbi prosterné et sanglotant, lequel alla heurter de plein fouet les vantaux ouverts de l'Arche.

— Ça suffit! *Raus, raus,* fichez le camp! lança-t-il à la cantonade. Rentrez tous chez vous et fermez bien vos volets! *Eine Feuernacht wird es sein...*

Ce fameux soir, Lodz connut dès l'entrée de shabbat sa nuit de Cristal. Comme en Allemagne un an plus tôt, tous les lieux de prières furent profanés, saccagés, incendiés au lance-flammes, à commencer par les grandes synagogues Wolynska et Alte Szil. La synagogue Reicher de la rue Poludniowa fut l'unique épargnée, nul ne sait par quelle mystérieuse dérogation. Rue Wolborska, on raconte qu'un cordonnier sauva la Torah avant que le feu détruise l'Arche sainte et le temple. Les tourbillons de fumée noire au-dessus des toits ne surprirent pas grand monde au matin. La veille, les blindés légers de la Wehrmacht, ouvrant la voie aux compagnies de fantassins harnachés du Flammenwerfer avec ses deux réservoirs dorsaux remplis d'essence et de gaz, avaient électrisé la rumeur publique. Personne toutefois n'avait eu vent du décret du Reich établissant le programme de germanisation à moyen terme de la Pologne sous contrôle allemand, cela dans le cadre plus vaste du *Generalplan Ost*, de la planification territoriale pour une Europe nouvelle régénérée, délivrée de ses races inférieures et de la conspiration maçonnique et judéo-marxiste. L'expulsion, le confinement et l'extermination méthodique, tel devait être le préalable à la politique coloniale de peuplement de la Pologne occupée.

En cette plaisante matinée du 11 novembre 1939, les deux tiers des habitants de Lodz apprirent avec un soulagement proportionnel que les événements n'affectaient que l'autre tiers de la population : seuls les temples juifs avaient brûlé. Beaucoup s'en réjouirent ouvertement, attribuant leurs malheurs au triomphe de la synagogue en terre catholique. N'avait-on pas rebaptisé leur ville Litzmannstadt ! Les Polonais ordinaires, sans ascendance teutonne, n'habitaient plus leur propre pays mais une province du Reich appelée Reichsgau Wartheland, ou plus sobrement Warthegau, par la faute séculaire des Judas criminels et félons.

14.

À l'abri du plus tranquille des quartiers bourgeois
du centre-ville – où les palais des magnats de l'industrie textile en façade de manufactures vastes
comme des casernes, les maisons de maître des
notaires, des juristes et financiers, alternaient avec
les grands magasins, les galeries d'antiquaires ou les
boutiques d'artisanat de luxe –, la villa en briques
rouges de la famille Korowicz ne payait pas de mine
dans son austérité toute fonctionnelle. Mais à
certaines heures des lumineux après-midi d'hiver et
des beaux soirs d'été, les regards des passants étaient
comme aimantés par les hautes baies à vitraux
d'époque Jugendstil du rez-de-chaussée et de l'étage.
Dans l'éblouissement coloré des fractions de verre
assemblées au ruban de cuivre, selon la technique
Tiffany, et qui, au gré de la distance et du point de
vue, offraient des scènes changeantes, mystiques,
bucoliques ou martiales, on y découvrait des paysages
idéaux peuplés de nymphes penchées, d'animaux
sauvages ou de héros méditatifs. Un charme semblait
devoir épargner cette demeure tout en discrétion sous
les bruines opaques de novembre ; comme si l'enso-

leillement ponctuel des vitraux dissipait les nuées de tourmente prêtes à éclater.

En se présentant en piteux état au portail, ses vêtements décousus, une casquette informe barrant son front et la face barbouillée de suie, Jan-Matheusza ne vit rien qu'un banal édifice sur deux niveaux en retrait des vastes résidences aristocratiques. Le vieil homme qui l'accueillit sans la moindre réserve, amusé de l'audace de ce petit ramoneur débarqué sur le terrain des entreprises de fumisterie, s'étonna néanmoins.

— Tu fais un joli garçon d'escalade, un *climbing boy* sorti tout droit d'un roman de Dickens! Mais où sont tes balais-brosses, ta corde et tes grattoirs?

L'enfant qui ne comprit rien à ces mots, déclara être envoyé par le chapelier de la rue Narutowicza et tendit un carré de papier sali et froissé, le même qu'il avait présenté au marchand de chapeaux. Schmuel Korowicz en prit connaissance dans le vestibule. Il hocha la tête et déchira le billet en confettis sous l'œil effaré de Jan-Matheusza.

— C'est plus prudent, dit le vieil homme. De nos jours, on vous emprisonne pour moins que ça…

Dès l'instant où la porte de la villa de briques rouges se referma sur lui, un sentiment de quiétude envahit Jan-Matheusza, surpris de chaque minute gagnée sur l'adversité. On lui avait ouvert un antre de lumière. À l'intérieur, depuis les salons et la bibliothèque de l'étage, les vitraux baignaient les lieux d'une clarté océane aux reflets polarisés où dominaient les bleus et les ors. Tout l'étonnait, les hautes silhouettes déhanchées des tentures de voile ou de moire, les précieux tapis exotiques en regard des baies, tels des jardins noyés, les grands miroirs dans leurs cadres ornementés surtout, concavités féeriques où se multipliaient et s'inversaient les objets des salons et des chambres, sculpture d'ange en bois doré, lustres montgolfières, Némésis de marbre à deux têtes tenant la roue de la fortune, vases de porcelaine en forme de dragon, tableaux impénétrables qui semblaient engendrer l'espace sans rien partager de leur mystère.

Le soir même, après avoir occupé l'enfant avec quantité d'ouvrages illustrés, Schmuel Korowicz lui assigna la chambre de sa fille à l'étage en lui recommandant de ne toucher à rien, hormis la literie et la table de nuit. Il lui fournit les jours suivants de beaux habits démodés d'un fils cadet disparu en lui promettant de les ajuster, de solides chaussures montantes en prévision de l'hiver et aussi, dans une pochette en soie sauvage, un talit de satin aux quatre coins frangés où l'œil expert repérait vite le rare fil bleu azur des tsitsit, ainsi que des tefillin de cuir souple aux lanières pelotées depuis nombre d'années.

Le vieux collectionneur vivait retiré derrière sa fragile barricade de silence et de beauté. Instruit des fermentations de la haine en Europe bien avant l'Anschluss, et particulièrement en Pologne où les pouvoirs avaient édicté le boycott des établissements tenus par les Juifs, leur exclusion de la fonction publique et leur radiation des professions libérales, sur fond de pogroms meurtriers attisés par la propagande antisémite, il n'avait pas attendu l'invasion allemande pour déménager sa parentèle à Londres en la recommandant à l'ambassadeur Edward Bernard Raczynski, lequel fut autrefois son élève assidu en cours de slavistique, à l'université Jagellonne de Cracovie.

Solitaire, Schmuel Korowicz s'était replié avec sa mémoire pareille au somptueux intérieur d'une banale maison de briques. D'une discrétion à toute épreuve, une domestique ukrainienne au visage de marbre s'occupait du ménage et de la cuisine. Elle se présentait le matin avec des provisions et la presse du jour et repartait d'ordinaire en début d'après-midi, sauf lorsqu'il y avait du monde. Il arrivait à Schmuel d'inviter chez lui quelques amis et connaissances les soirs de shabbat. L'Ukrainienne avait parfaitement assimilé les principes de la cacherout et cuisinait dans la pure tradition yiddish locale. Quoique agnostique, Schmuel aimait les pieux folklores du souvenir et n'eût en aucun cas troqué son appartenance d'espèce incrédule avec la foi d'un pope.

Ce soir-là justement, dernier vendredi de novembre, il avait pu convier quatre de ses invités habituels malgré les obstacles et la peur : les époux Zylbermine, un couple de luthiers établi dans la vieille ville, le comédien Adam Poznansky, petit-neveu déclassé du célèbre industriel Izrael Poznansky, et la ravissante Rébecca, fille unique d'un joaillier veuf de la rue Obiekana, qu'elle n'avait jamais manqué d'accompagner avant qu'on ne l'assassine aux premiers jours de l'agression allemande. C'est elle, demoiselle promise aux joies présumées du mariage qui, selon la coutume, alluma les deux bougies au crépuscule, dix-huit minutes avant la nuit. La nappe blanche, les plus beaux couverts, les deux pains tressés garnis de graines de sésame et la coupe d'argent pour le vin de la sanctification : rien ne manquait au rituel. Bien qu'il ne lui accordât aucune créance, Schmuel attachait une importance affective, au fond essentielle, à ce très fragile et délectable mystère d'une initiation perpétuée de semaine en semaine depuis des millénaires. C'est avec toute la nostalgie des vœux de sa jeunesse qu'il ramenait la lumière vers lui en tournant trois fois au-dessus des flammes ses belles mains puis, celles-ci ramenées sur son visage, qu'il récitait la bénédiction.

Autour de la table, après l'invitation des anges, on dîna avec appétit d'un plat de têtes de poissons aux petits pois, sans autres gages à l'intangible. Schmuel présenta enfin son protégé aux convives, lesquels avaient remarqué d'entrée sa blondeur botticellienne et la finesse de ses traits.

— On dirait qu'un des anges vous a pris au mot ! lança plaisamment le descendant disgracié de l'empire Poznansky qui affectait un certain dandysme. Et comment s'appelle-t-il ?

— Demandez-le lui, dit Schmuel. Selon l'usage, on lui a donné un nom chrétien à l'orphelinat de Lowicz.

Un bon ami, le docteur Osęka, me l'a recommandé. C'est une sorte de miracle s'il se trouve parmi nous ce soir. Son accompagnateur, un grand professeur dont il faut taire ici l'identité, a été arrêté en gare de Lodz par la Gestapo.

—*Well, well!* s'entêta le comédien. Et ce petit jeune homme me dira-t-il son nom?

Jan-Matheusza ne répondit pas, atteint au vif par le regard sombre du personnage d'où s'épanchait un vide informe. Il s'aperçut que l'oreille gauche lui manquait et qu'il semblait la chercher souvent d'un geste nerveux de la main. L'homme avait suivi la cérémonie du kiddouch avec une décontraction presque amusée, comme un jeu de société, au contraire du couple et de la jeune fille si intensément concentrés dans l'invocation.

Schmuel Korowicz, toujours à son rôle d'officiant, découpa le deuxième pain avec le couteau à long manche gravé de versets hébraïques.

—Les Allemands ont démoli la grande synagogue avec leurs tanks, déclara monsieur Zylbermine en se reservant du plat de poisson que la domestique lui présentait.

—Toutes les synagogues de Lodz ont été détruites à la pelleteuse et à la dynamite, dit calmement Adam Poznansky. Pourquoi n'émigrez-vous pas de l'autre côté de la Vistule?

—Il paraît que les Russes sont pires que les nazis, assura madame Zylbermine.

—Et vous-même? dit son époux. Les théâtres

yiddish, il me semble, seront bientôt tous fermés à Lodz comme partout en Pologne.

— Cher monsieur Zylbermine, par les temps qui courent, il n'y a pas de scène digne de moi du côté soviétique. Et je peux très bien jouer Shakespeare ou Molière n'importe où ailleurs. Un authentique artiste n'est personne, ni Juif ni goy, à peine une doublure du néant ! Mais je resterai à Lodz, je suis né dans cette ville, mes parents sont enterrés au cimetière juif de Marysin, pas loin de la folle nécropole de mon regretté grand-oncle, le magnat du coton, mécène éclairé du mauvais goût d'époque, faux acteur mais redoutable homme d'affaires...

Jan-Matheusza, l'écoutant, se demandait ce que pouvait bien cacher un vrai acteur. Il n'avait pas quitté des yeux sa face mobile aux lèvres minces, aux prunelles papillonnantes qui se plantaient par saccades sur lui avec une acuité d'oiseau de nuit. Tous les visages lui semblaient doubles, masque sur masque, yeux perdus au fond des yeux. Celui du comédien évoquait un drôle de volatile en plein vol qui, ailes battantes, ne pouvait se poser nulle part.

— Et toi, l'enfant sans nom, insista ce dernier d'une voix soudain caverneuse, d'où viens-tu, qui veux-tu être ? Il faudra bien que tu te souviennes...

Troublé de se voir pris à partie au milieu d'inconnus qui se régalaient de felfels et de têtes de poissons pendant que les pavés dehors vibraient au passage de colonnes blindées, il reprit sa respiration et déclara d'une traite :

—Je viens de Mirlek, où tous ont été tués. Mon nom est Jan-Matheusza, mais ce n'est pas mon nom.

—À la bonne heure! s'exclama avec un accent tragique Adam Poznansky, la main sur son oreille manquante.

—Mirlek, je connais, dit le luthier. C'est un sympathique shtetl pas loin de Varsovie.

De surprise, Schmuel avait lâché ses couverts. D'un geste discret, il enjoignit aux convives de faire silence afin de mettre à profit cette brèche.

—À Mirlek, tu avais de la famille? Ton père et ta mère, des frères et sœurs?

—Je ne sais pas! dit l'enfant en jetant des regards effrayés autour de lui. Il y avait la forge, le feu! Nous avons tous été tués.

—Calme-toi, *feygele*, mon garçon! C'est bien. Tu me raconteras un jour. Il ne faut pas laisser son cœur se fermer. Allons! Je suis fier de toi…

—Mes amis, mes amis! déclara hâtivement la jeune fille sortie de sa rêverie. J'aimerais tant vous interpréter une petite chanson!

—Eh bien chante, Rébecca! acquiesça Schmuel. On doit chanter sa joie à shabbat.

Elle eut un sourire contraint, un peu crispé, puis tout son visage parut s'illuminer de l'intérieur à la faible clarté des chandelles.

Shlof, shlof, shlof!
Der tate vet forn in dorf,
vet er brengen an epele,

vet zayn gezunt dos kepele!
Shlof, shlof, shlof!
Der tate vet forn in dorf,
vet er brengen a nisele,
vet zayn gezunt dos fisele!

15

L'hiver commence avant la chute des dernières feuilles. Les dix-huit rivières de Lodz sont toutes gelées mais aucun enfant n'y traîne une luge ou ses fonds de culotte. Des vents sibériens chargés de neige ont refaçonné les statues et les arbres. La rue Piotrkowska s'est éclairée bien avant l'aube d'une vallée blanche entre les immeubles résidentiels et les palais, la plupart réquisitionnés par le Reichsstatthalter Arthur Greiser et ses adjoints locaux au profit des administrations et des cadres de l'armée d'invasion.

Les Juifs qui n'ont pas émigré à l'est, en terre polonaise annexée par les Russes – ou à l'ouest, partout en Europe libre –, ceux qui portent depuis peu un brassard blanc marqué de l'étoile de David, ont massivement été contraints de quitter leur demeure pour les quartiers pauvres de la vieille ville avec ordre d'abandonner sur place meubles, œuvres d'art et autres valeurs. Comment contrevenir à l'arbitraire? Les recours indignés des résidents auprès des tribunaux se soldent sans surprise par des mesures brutales d'expulsion effectuées par les unités d'intervention du

Brigadeführer Schäfer, chef de la police. Il n'est pas exceptionnel que les Juifs réfractaires qui récusent l'ordre d'éviction et le port du brassard discriminatoire soient abattus sans sommation devant leur immeuble ou sur leur palier.

Traîné dans la neige par une escouade de gestapistes, l'éminent slavophile Schmuel Korowicz, longuement outragé, tente de se rétablir sur ses jambes maigres comme une cigogne blessée, pour un dernier instant d'honneur. Le chef de section de la Schutzstaffel a dégainé son Mauser et ricane à belles dents en visant la nuque chenue à trois pas. La détonation résonne entre les façades muettes. Derrière son cadavre qu'un fringant soudard tire par le col, du sang mêlé de matière cervicale trace une sente fangeuse dans la neige. Sans doute est-ce toute cette blancheur évoquant les jeux de l'enfance qui met les gestapistes en joie. Avant de quitter les lieux en plaisantant entre eux d'une voix forte teintée de mélancolie, plusieurs arment leur fusil et visent les vitraux qui, en éclatant, scintillent comme un arbre de Noël.

Quelques jours plus tôt, à la demande de Schmuel qui redoutait le pire, les époux Zylbermine avaient pris en charge son jeune protégé. Eux-mêmes vivaient dans l'insécurité depuis que des mains anonymes avaient tracé le mot *Juden* en grandes lettres blanches en travers de leur devanture. Celle-ci désormais protégée par des volets battants à coulisses, le couple de luthiers s'activait d'un établi à l'autre, entre les panneaux de rangement de l'outillage – scie à chan-tourner, rabots, limes et racloirs, fers pour éclisses, gouges de toutes tailles –, le dressoir aux gabarits et les étagères métalliques où était disposée la précieuse réserve de bois en feuilles ou en planches, épicéa et érable ondé des forêts denses des Alpes suisses coupées sur sens et dans le fil, ébène noir, alisier, charme et palissandre. À l'abri d'une vitrine haute d'exposition, dressée dans sa cambrure de laque, une contrebasse, chef-d'œuvre du maître luthier, évoquait quelque fière mama tzigane à la nuque pincée. Sur un établi, plusieurs charpentes d'instruments en blanc atten-daient l'encollage et l'étape finale du vernissage. Aux senteurs subtiles des essences de bois rare se mêlaient celles, puissantes, des résines pures et de la térében-thine.

Dans la pénombre qu'une ampoule clignotante trouait d'un cône de lumière pâle au-dessus des tables de découpe et d'assemblage, Jan-Matheusza, légère-ment enivré par les émanations, observait la mysté-rieuse et précise gestuelle du couple silencieux penché sur ces chrysalides d'instruments à cordes, luths, violons, altos, violes et violoncelles. Arrachées à la nuit du shtetl de Mirlek, des images de la forge lui revinrent sans raison ni grand rapport – le mur d'ou-tils violents, les pains de feu battus sur l'enclume et soudain, les ventaux de bois brut du portail s'entre-bâillant sur la courbure laquée d'un fiacre d'hiver tiré par deux chevaux aux croupes luisantes.

Avertis du drame par la domestique ukrainienne

qui portait une dévotion indéfectible à son employeur, les époux se résolurent à récupérer la dépouille de Schmuel afin de le soustraire à la fosse commune. Ils donnèrent l'obole au Charon de service à la morgue municipale et purent ainsi faire honneur à leur ami dans l'immense cimetière juif de Marysin, au sud du quartier Baluty. Le kaddish fut splendidement interprété par un hazzan au désespoir depuis la destruction des synagogues. Madame Zylbermine l'accompagna sur son alto accordé *scordatura*, à la manière allemande, devant la dizaine de fidèles, proches et inconnus, réunis en quorum afin d'écarter d'autres malheurs. En pleine déploration, Adam Poznansky, blême dans son costume de deuil, inquiétait l'assemblée chuchotante. Au cimetière plus qu'ailleurs, un Juif pouvait craindre pour sa sécurité. Fréquemment profanés, les autres cimetières communautaires de Lodz étaient en passe de dévastation. Celui-là devait décourager les ardeurs, avec ses deux cent mille tombes incluant le mausolée outrancier d'Izrael Poznansky parmi des édifices moindres, lequel surplombait la plaine des tombes célibataires et resplendissait par contraste comme le dôme néo-byzantin de la cathédrale Aleksandra Newskiego.

Du haut de ses dix ans, tremblant de froid devant une fosse creusée à la pioche dans la terre gelée, entre le comédien et un gros petit homme à moustaches tombantes qui se balançait comme un culbuto, Jan-Matheusza ne pouvait encore figurer dans le miniane : Schmuel Korowicz lui avait annoncé pour bientôt sa

Bar Mitzvah – on entre plus vite en âge par temps de détresse – mais son bienfaiteur était mort assassiné avant qu'il n'accédât par dérogation à sa majorité spirituelle. Et qu'en avait-il à faire? Jamais il ne deviendrait adulte en ce monde. Jamais il ne se ligoterait le front et le bras des tefillin. Il resterait l'enfant sans dévotion, l'orphelin du chaos. La neige s'était remise doucement à dansoter, poudreuse, au-dessus des épitaphes gravées et des menorahs de cuivre ou de pierre qui servaient de juchoir aux corneilles.

—Comment en vouloir à des bourreaux sans avenir? s'engoua le comédien chargé de l'oraison. Schmuel Absalon Korowicz était un sage, un homme de bien! Ils l'ont tué par impuissance, parce qu'il leur échappait. C'est ainsi: les prophètes et les justes se retirent de la multitude pour être plus près de Dieu…

À ce moment, sans que l'assistance eût bien compris où le comédien perdu dans le grand trouble de ses pensées voulait en venir, un tintamarre d'essieux effraya le public de corneilles qui s'éleva d'un vol lourd. Tirée par un très vieux cheval de corbillard, une charrette à hautes claies mal bâchée laissait voir un entassement de bras et de jambes, parfois une tête au regard troué de nuit qui semblait approuver l'aventure d'un doux hochement continu. Un blindé léger de la Waffen-SS suivait à distance la carriole conduite par deux employés municipaux.

—Ne restons pas là! dit le hazzan. Dispersez-vous au plus vite, si vous ne voulez pas suivre ces pauvres gens dans la fosse commune.

À peine eut-il achevé sa phrase que la tourelle de la mitrailleuse tournée vers eux crachait une salve.

— Mais ils s'amusent ! s'étonna le comédien.

Les fossoyeurs aussitôt décampèrent entre les stèles. Blessé au ventre le poussah à moustaches expira, la face dans la neige, avant qu'un des soldats, Mauser au poing, vint rendre grâce au cadavre d'une balle dans la nuque. Les autres fidèles, kippa sur la tête, filaient à sauve-qui-peut par les allées.

Adam Poznansky s'était saisi de la main du jeune garçon pétrifié. Tête baissée, il l'entraîna en direction des mausolées des riches familles. Jan-Matheusza ne pouvait que courir à perdre haleine au risque, s'il lâchait prise, d'aller s'écraser contre les stèles. Mais il sentit bientôt faiblir cet élan de panique et se vit cerné d'un agglomérat d'édifices inhospitaliers. Sur le fronton de l'un d'eux en forme de belvédère à colonnes, le patronyme du comédien s'inscrivait en belles capitales ornées d'arabesques. Ce dernier descendit quelques marches et, facétieux, mima le pas de loup du crocheteur jusqu'au seuil du caveau qu'un épais manteau de lierre dérobait aux regards. Après quelques manipulations sur un mécanisme à piège ou à secret, la porte basse s'ouvrit d'un simple coup d'épaule. À l'intérieur faiblement éclairé de fines archères grillagées à hauteur du plafond, une ouverture centrale en forme de puits menait à la crypte au moyen d'un escalier en ressaut sur la couronne de pierre. Une sorte de margelle à deux niveaux permettait de s'asseoir.

— Nous voici à l'abri ! annonça le comédien.

Il s'empressa d'allumer une cigarette puis, considérant la sombre cavité sépulcrale, il s'y pencha pour faire tonner l'écho.

— N'est-on pas à l'abri, Izrael Poznansky ?

Assis face à l'enfant, il écrasa son mégot du bout de son soulier.

— Grâce au coton, reprit-il d'une voix morne, mon grand-oncle et ses pareils ont bâti des usines immenses, des palais, ils ont donné du travail et des logements à des foules de goyim et de Juifs sans distinction aucune, ils ont vêtu, abrité et nourri toute la ville de Lodz ou presque. Mais cela vaut-il un seul vers de Shakespeare ? Moi, je n'ai rien, sauf le droit de m'abriter dans ce tombeau. À quoi pensent les étoiles pendant que nous mourons ?

16.

Ce même jour et les suivants, il y eut des pillages et des incendies de commerces juifs dans la vieille ville. La police municipale, débordée par les milices pro-allemandes en quête de butin, reçut l'ordre des mandataires du Reichsgau Wartheland d'expulser manu militari les familles juives des beaux quartiers et de les diriger, de conserve avec la Kriminalpolizei, vers les zones impécunieuses, entre les confins de la vieille ville et le quartier Baluty en limite du cimetière. Quitte à se tromper de cible, on agressait au faciès les passants qui n'arboraient pas le brassard blanc et bleu frappé de l'étoile de David. Elle-même spoliée et terrorisée par des forces d'occupation habiles à hiérarchiser ses sanctions, la population polonaise dans son ensemble observait avec un détachement craintif ou tristement jubilatoire le sort fait à leurs concitoyens. Au moindre acte de résistance, les Waffen-SS raflaient et assassinaient les premiers venus du secteur concerné, femmes et vieillards inclus, démontrant à tous et bien vainement que nul ne pouvait espérer grâce : dans l'espoir d'échapper, la victime se cache derrière la victime et l'ignore – ou la frappe.

Après l'égarement du cimetière, Jan-Matheusza n'avait pu retrouver l'atelier des luthiers Zylbermine. Il avait erré en vain dans la vieille ville encombrée ; des cohortes de femmes, d'hommes et d'enfants, la plupart bien vêtus, trimbalaient des valises et des malles, halaient des carrioles surchargées de meubles, de matelas et de ballots, ou avançaient les bras ballants, hagards et dépossédés. Un peu partout, d'un secteur à l'autre, des familles entières parfois véhiculées, juchées sur un fardier attelé à quelque mule ou poussant des brouettes et des landaus, s'en allaient emménager dans les bâtisses insalubres, les boutiques abandonnées ou les pensions miteuses des quartiers d'assignation. Le décret d'aryanisation initié de longue date par Hermann Goering et que la bureaucratie militaire relayait efficacement sur tout le territoire passait par ces transfèrements massifs. En retour, les Polonais d'origine allemande, conviés à prendre leurs aises, s'en allaient occuper par milliers les appartements du centre-ville désertés après séquestre ou laissés vacants aux premiers jours de l'invasion. L'exode, en temps de guerre, précède toujours l'expropriation.

Sans repères, la tête vide, Jan-Matheusza avait suivi ces foules à travers la vieille ville et les périphéries besogneuses. Tel un chat en quête d'adoption, il s'était rapproché d'une famille ou d'une autre. Suspect de maraudage, d'une blondeur hirsute évoquant ces Roms de Bulgarie ou d'Allemagne, ces Yéniches aux yeux clairs, on l'ignorait avec un fond d'appréhension après l'avoir gratifié, à l'occasion, d'un quignon de pain ou d'une pomme de terre. Une femme seule en charge d'une petite tribu d'enfants en bas âge, constatant la minceur de sa pèlerine, tira un court manteau à boutons dorés de dessous un amas de frusques entassées sur une charrette de moissonneur. « Prends donc ça ! lui dit-elle. Il t'ira sûrement ! » Et dans un rire navré avant de se détourner : « C'était à mon vieux père quand il était jeune tambour ! »

Que devenir une fois de plus dans ce branle-bas de naufrage ? Chacun bataillait pour se garantir d'autres spoliations. Lui-même s'effrayait des mains tendues. Pourquoi a-t-on peur des gens même quand ils veulent votre bien ? La mort n'est-elle pas équivalente à peu d'instants près ? Une nuit passa et puis une autre. Engoncé dans son nouvel accoutrement qu'il avait boutonné jusqu'au cou, l'air d'un soldat de plomb décoloré, Jan-Matheusza chercha un refuge au milieu de ces multitudes. Une grande partie des délogés en quête d'un toit s'engouffraient dans les halls, occupaient les écoles et les hangars. La neige s'était accrue avec le soir, jetant des pans d'ombre dans les rues venteuses et les avenues mal éclairées parcourues de turbulences glaciales.

Plongées dans l'obscurité, les façades révélaient des tremblotements de lumignons derrière les vitres et les volets. Ici et là, une lueur plus forte, flambée dans quelque cheminée, arrêtait Jan-Matheusza comme un appel. L'odeur cendreuse des rues de Lodz le pénétrait de perceptions troubles. La neige devant lui tourbillonnait en figures difformes, pareille aux spectres fugaces de l'oubli. Où aller avant la nuit, dans quel hiver sans fin ? Les cloches soudainement partirent à sonner, assourdies par cette ouate de glace et de brume. Il se souvint du Noël des autres avant les bombes et les exécutions, de la grande fête des joyeux goyim chantant et dansant en plein air dans la nuit décorée à chaque coin de rue d'étoiles et de dragons, de poupées de chiffon, d'étables où même les bêtes parlent le langage des hommes...

Qu'était-il arrivé ? Pourquoi errait-il seul dans la ville de sa naissance ? Il connaissait bien un endroit à peu près tranquille, au cimetière, même s'il avait dû se défendre des singuliers élans du comédien, de ses baisers de femme et de ses étreintes. Depuis son départ précipité du shtetl, il avait appris à se défier des vivants et des morts, ceux qui rôdent la nuit quand plus personne n'existe. « Appelle-moi Adam, lui avait dit l'homme à l'oreille manquante au secret de la crypte. Et n'aie pas peur de moi ! Si tu es sage, je t'apprendrai à être un autre dans ce monde de pantins féroces, oui, un autre, tout comme moi qui ne suis personne... » Dehors, dans le faux jour des tombes, les cris déchirants des corbeaux alternaient avec des tirs d'armes à feu. Le pied sur une marche, Jan-Matheusza avait repoussé la bouche mielleuse du comédien et à la fin s'était enfui malgré ses protestations d'amitié. Les nuits d'hiver tombent par traitrise au milieu du jour. À l'ombre d'épicéas, il avait fini par entrevoir le grand portail de fer et par décamper au nez d'un gardien à casquette étourdi de bière et de vodka dans sa guérite.

Mais c'était pour lui de l'histoire ancienne. Rue Starozikawzka, tandis que la brume de glace s'estompait, Jan-Matheusza remarqua les planches disjointes d'une palissade de chantier et s'y faufila à tout hasard, coupant d'un coup ses empreintes de chat dans la neige. De l'autre côté, intacte et duveteuse, la même neige empaquetait des formes cubiques ou cylindriques entre des pilastres de béton armé et un portique à palan disloqué. La bulle de clarté du seul réverbère de la rue, par-dessus la clôture, laissait entrevoir les bordures renflées d'un sentier menant à la façade lépreuse d'une assez haute bâtisse. La porte lui résista, apparemment verrouillée, mais en longeant le mur à l'odeur de salpêtre et de rouille, un autre accès se présenta en retrait d'une encoignure tout juste à sa hauteur, sorte de portillon de bois plein mal crocheté au ciment qu'il tenta d'ébranler des deux mains puis, prenant son élan, d'un coup d'épaule. Le portillon céda et l'enfant bascula dans une roulade à l'intérieur, au bout d'un étroit couloir. Il se retrouva en position assise sous une lampe à huile, au milieu d'un réduit sans fenêtre où traînaient çà et là des tas de vieux habits, des cartons pliés et des piles de journaux. Dans un coin d'ombre, la silhouette affaissée de ce qui semblait être un pantin de chiffon évoquait les cadavres des rues et des chemins. L'enfant ne s'en effraya pas. Peu à peu distincte face à lui, une tête extraordinairement mobile juchée sur une carcasse d'apparence humaine l'observait avec une curieuse intensité.

— Que cherches-tu ici? dit enfin l'apparition sur un ton plutôt rogue.

Pour toute réponse, Jan-Matheusza bâilla et se frotta les yeux. Il recula vers un mur en s'appuyant sur ses paumes et murmura *Shlof, kindele, shlof...* avant de choir sur le côté et de s'endormir tout à fait. Le personnage à l'allure bouffonne, un peu interloqué, resta longtemps à le contempler, songeant aux mille incidents de la vie, puis il se retira, presque gai, en reprenant d'une voix éraillée la petite mélodie du sommeil.

Dans son trop large caban de jeune tambour, une casquette béret sur le crâne, Jan-Matheusza vague dans les neiges d'un rêve à la recherche d'un abri de braise ou de coton. Des foules nues transportent des blocs de glace dans les rues aveugles. Monsieur Zylbermine joue du violon au cimetière, mais l'instrument grandit dans ses mains, devenu violoncelle ; c'est le chef-d'œuvre de l'armoire qui se balance maintenant entre les bras élastiques du luthier tandis que l'archet virevolte sur les cordes ; l'instrument croît encore, contrebasse, octobasse, il atteint les dimensions du cercueil, un beau cercueil chantourné et verni de cérémonie. Madame Zylbermine est couchée à l'intérieur, toute jaune, les yeux clos. Son vieil époux joue sur elle la musique radieuse, exubérante, triste à pleurer des klezmorim. Que disait le Rav de Mirlek ?

Les mondes s'encastrent comme les pièces d'un puzzle, mais il en manque une, il manque le monde. Ce qui est en bas n'est pas en haut, ce qui est en haut n'est pas en bas, puisque c'est la même chose. La mort ne fait pas mal, allez! Un grand soleil frappe de sa hache d'or les yeux, le front, mais c'est l'hiver, l'hiver de sucre filé. Il neige sur Lodz à minuit. Tous les anges du ciel s'ébrouent. Pourquoi suis-je seul dans la chambre du pantin? Il fait si froid depuis que la forge a brûlé. Où suis-je, où es-tu, comment vivre sans toi, sans moi? C'est un rêve perdu, un rêve du jour et de la nuit qui n'en finit pas. Le grand cirque de la mort a envahi les rues et les places avec ses fourgons de sang, ses ménageries, ses manèges hennissants venus d'Allemagne. Qui sont ces automates, ordonnant, foudroyant, aux reflets durs comme l'acier? Le fer, le feu se sont abattus. Il neige sur Lodz et chaque flocon est comme un dragon dans son palais. Le sommeil d'un enfant vaut toutes les prophéties. Mais la fièvre s'estompe avec les images; il neige aussi dans la tombe. Jan-Matheusza ne connaît pas son nom, Jan-Matheusza s'est rapproché des chiffons.

Le lendemain, au petit jour, quand l'habitant revint avec sa lampe à huile, il découvrit l'enfant blond dans un coin du réduit, serrant le pantin tout contre lui.

17.

À force de bannissements et de contraintes, les lois de
« protection du sang allemand » depuis longtemps
appliquées à l'ouest, de l'autre côté de la frontière,
réduisirent à l'indigence les Juifs de Lodz qui
n'avaient pas fui à temps l'invasion et se voyaient
peu à peu soumis à l'arbitraire et aux pires sévices
dans l'indifférence générale. Dénoncées par le voisinage ou l'état civil, les familles expropriées n'avaient
pas d'autres options que de rejoindre les quartiers
pauvres bientôt surpeuplés de Baluty, Miasto et
Marysin, au nord-est de la vieille ville. Les Juifs assi-
milés des classes moyennes et de la bourgeoisie
acquises à la Haskala, à l'esprit des Lumières incarné
par le philosophe bossu Moses Mendelssohn, grand-
père du musicien, connurent le goût amer de l'in-
constance et de la déloyauté.

L'intendance de Friedrich Uebelhoer, Regierungspräsident de la voïvodie de Lodz, avait décrété la liste
des rues attribuées aux Juifs et métissés de Juifs, entre
le cimetière, à l'est, et l'extrémité de l'avenue Limanowskiego, à l'ouest. Les transferts de population ne
cessèrent plus tout l'hiver jusqu'aux premiers jours du

printemps 1940. Pour accélérer le mouvement, de nouvelles mesures discriminatoires furent édictées – outre l'impératif de coudre solidement et de manière apparente le *Judenstern*, l'étoile jaune, sur la poitrine et l'épaule de tout individu concerné de plus de six ans en remplacement du brassard blanc et bleu –, telles que l'interdiction de se promener dans les rues principales de la ville, d'emprunter les transports publics, tramways et diligences, ou d'avoir l'usage d'un véhicule à moteur ou d'un compte bancaire. Tous les biens juifs furent mis sous séquestre. Les entrepreneurs de l'industrie textile, les patrons de presse et les directeurs d'établissements d'éducation, de soins médicaux ou de loisirs durent renoncer du jour au lendemain à leurs prérogatives. Beaucoup prirent le chemin de l'exil au risque de leur vie. On confisqua dans la foulée usines, manufactures et commerces. À Lodz comme partout ailleurs en Pologne occupée sous la bannière du Troisième Reich, les fonctionnaires des administrations, des écoles et des universités furent mis à pied sans la moindre indemnité. D'office proscrites aux Juifs, les professions libérales qualifiées perdirent quantité de médecins, pharmaciens, dentistes, avocats, journalistes, notaires, architectes…

Après la destruction des synagogues, l'interdiction de célébrer le culte, et la mise au ban des rabbis privés de chaire, le nouveau président du Judenrat – récemment nommé par l'administration nazie après liquidation d'un Conseil juif récalcitrant – voulut garder la tête froide en dépit de ses multiples déboires d'homme d'affaires. Face au conquérant, par nature antagonique, il fallait négocier sans kippa ni tefillin. Saraï était trop belle et son époux Abram, en quête de protection par ces temps de famine, lui demanda : « De grâce, veuille bien dire que tu es ma sœur et ma vie sera sauve », avant d'aller frapper aux portes de sable et d'ossement de pharaon. Ainsi doit-on agir devant les prédateurs, en frère, en bon père conciliant – jamais en propriétaire. Ses états de service dans les activités publiques et les institutions humanitaires avant la défaite, son rôle éminent de membre fondateur de l'orphelinat Helenowek et de représentant permanent du nouveau conseil communautaire de la ville – malgré sa brouille avec la négligeable « fraction démocratique des sionistes généraux » –, faisaient de lui un interlocuteur de choix, l'unique à vrai dire. Qui d'autre que Chaïm Mordechai Rumkowski, parrain des ligues et alliances caritatives, eût pu intercéder auprès des autorités occupantes après la débandade de l'essentiel des notables et politiques du consistoire partis à Londres ou dans les territoires annexés par les Russes ? Son rendez-vous matinal avec Hans Biebow, le délégué à la gestion des populations déplacées, lequel venait d'installer son quartier général de la Gettoverwaltung au premier étage d'un des rares immeubles salubres de la place Baluty, revêtait pour lui une importance capitale. Le doyen Rumkowski s'était revêtu de son meilleur costume trois-pièces *drape cut* en pur cachemire avec gilet de flanelle sous la veste à boutonnière croisée et pochette de soie, pantalon à pinces et larges ourlets sur de chatoyants souliers de cuir vernis qu'attisaient, à chaque saute de vent, les reflets de la doublure d'organsin d'un ample manteau de laine cardée à larges épaules. Il en était conscient : ses cheveux blancs et sa corpulence de patriarche inspiraient confiance. Et l'étoile jaune cousue sur la riche étoffe avait un petit côté équivoque, comme s'il la portait par mérite. Elle devrait lui être en tout cas, pour une fois, opportune. Il connaissait ce Biebow de réputation. L'homme avait été lui aussi agent d'assurance ou entrepreneur avant-guerre et s'était rendu fort utile dans l'administration des forces d'occupation. Le doyen n'ignorait pas qu'un politique, fonctionnaire détaché, fût-il missionné par la Schutzstaffel, peut très bien défendre certains intérêts privés tout en servant diligemment ses maîtres. Rompu aux tractations de vestibule, un commis du Reichstag ne vous crache pas dessus avant d'avoir tendu l'oreille, comme ces officiers obtus de l'Ortskommandantur.

Après la procédure de contrôle effectuée par deux membres peu avenants de la direction générale de la sécurité, Hans Biebow ne le fit d'ailleurs pas attendre. Il vint vers lui sans réticence, la main gauche curieusement dégantée. Jeune encore, cravaté de noir, portant bottes et culotte d'équitation, c'était un personnage élégant et décontracté avec quelque chose d'anglais dans la mise. D'un geste large, il pria le personnage qui se présentait au titre de nouveau doyen du Conseil communautaire de le précéder dans son bureau. Hormis le trench-coat de cuir suspendu à un portemanteau perroquet, les deux carabines de tireur d'élite en exposition dans une étroite vitrine murale et un portrait de femme posé sur le coin d'une table à tiroirs jonchée de feuilles dactylographiées, la pièce récemment investie était parfaitement vide.

— J'ai bien étudié vos propositions, déclara d'emblée Biebow. La rédemption des Juifs par le travail intensif et désintéressé au service du Reich ! C'est fort enthousiasmant ! On y réfléchira peut-être. Mais pour l'heure, l'Obergruppenführer Reinhard Heydrich, le Reichsführer Heinrich Himmler, le bureau principal de tutelle de l'Est et nos experts de l'état-major caressent d'autres perspectives...

— Avec votre agrément, Herr Hans Biebow, si la chose était seulement envisageable, je me ferais fort de convaincre Herr Heinrich Himmler en personne des immenses mérites de mon programme pour l'économie allemande... Lodz a toujours été une ville industrieuse, grâce aux Juifs pour une grande part.

— Himmler vous rira au nez. Que ferez-vous de vos Hébreux maintenant qu'ils n'ont plus rien ?

— Je pourrais créer des ateliers et des usines par centaines avec une main-d'œuvre experte...

— Par centaines ! Où donc ? Tous vos biens mobiliers et immobiliers ont été saisis.

— Ici même, à Baluty, Miasto, Marysin, là où vous

nous avez relégués ! s'exclama Rumkowski dans une envolée téméraire vite jugulée. Nous établirons ainsi une alliance économique des plus profitable pour le Reich. Et votre gouvernance pourrait en tirer des bénéfices non négligeables...

Amusé, le responsable du transfèrement de la population juive alluma distraitement une cigarette.

— Nos hygiénistes de Berlin voudraient m'interdire de fumer, dit-il par diversion. Ils prétendent que le tabac est un poison génétique hautement cancérigène...

Après quelques pas, Biebow invita le doyen à s'approcher de la fenêtre.

— Dites-moi, Rumkowski, soyez sincère, aimez-vous cette misérable racaille plus que votre propre confort ?

Le vieil homme tiqua sans répondre. Il écarta les bras d'un air désolé, songeant qu'il jouait sa peau et probablement celle de ses coreligionnaires. Mais l'administrateur délégué, le front contre la vitre brouillée de fumée bleue, semblait l'avoir tout à fait oublié. L'un et l'autre alors, chacun pour soi, s'absorbèrent en silence dans la morne contemplation de la place Baluty où se pressaient les processions de spoliés et d'exclus en quête d'asile, sous l'œil consterné de résidents à leurs fenêtres, devant les perrons et les seuils. Une *Kübelwage*, voiture-bassine de la Wehrmacht, traversa la place à faible allure en escorte à deux camions lourds surchargés de rouleaux de fil de fer barbelé. Quand à leur suite s'engagea une colonne de soldats armés de fusils à verrou et claquant des talons en bon ordre, la foule s'écarta avec plus de hâte.

À la fois dubitatif, un peu honteux et débordant d'une commisération mêlée de dédain, Chaïm Rumkowski laissa sa pensée vagabonde s'interroger sur ce qui différenciait le pauvre chaos des Juifs persécutés de la mécanique huilée des persécuteurs. Un chef, conclut-il. Les siens ne disposaient que d'un Dieu sans visage, les autres avaient un Führer.

18.

Les fins d'hiver en Pologne connaissent des prolongations indéfinies dans les glaces et la neige. Depuis le dernier pogrom au cours duquel des centaines de Juifs furent lynchés et abattus dans les rues, impliquant aux côtés des Waffen-SS, par funeste rebond d'animosité, la population chrétienne, elle-même éreintée par les restrictions et les maltraitances d'un occupant expert en manipulation, la ville de Lodz débaptisée aurait pu se dire *judenrein* – libre de Juifs – grâce à la spoliation et à la terreur, si le Regierungspräsident Friedrich Uebelhoer, le docteur Moser chargé des affaires courantes, le Reichsstatthalter Arthur Greiser et son subalterne de la Gettoverwaltung Hans Biebow, entre autres gestionnaires, membres du parti nazi, du bureau des finances, de la chambre du commerce et de la police de sécurité, ne s'étaient résignés à confiner les quelque cent soixante-trois mille judéens encore à demeure dans un étroit périmètre circonscrit de la vieille ville et ses entours où plusieurs synagogues avaient été brûlées aux premiers jours de l'invasion. Les charpentiers et menuisiers réquisitionnés commençaient à bâtir, sans hâte ni grand art, d'étranges portiques de bois, sortes de passerelles à double escalier communes dans les gares ferroviaires, à seule fin d'enjamber les avenues où passaient les tramways à usage exclusif de la population non juive ainsi préservée de toute promiscuité. Dans le même temps, sous le regard perplexe des habitants ordinaires ou déplacés, des camions à benne déchargeaient les poteaux, les meules de barbelés et des miradors préconstruits en plusieurs endroits dégagés de la vieille ville et des périphéries, autour des zones de rétention surpeuplées.

Courant les rues aux chaussées bourbeuses entre deux remblais de glace dans l'unique espoir de reconnaître un visage, Jan-Matheusza observait cette folle agitation avec au cœur un sentiment proche de l'anéantissement. Sur le quartier plus clairsemé de Marysin et l'immense cimetière limitrophe, la neige avait eu le temps de s'épaissir au point de relier les bâtisses de fragiles ponts vénitiens et de recouvrir les tombes d'un ample moulage d'un seul tenant, mer d'écume figée en glace d'où émergeaient, çà et là, des ifs et des colonnes tronquées, comme les mâts d'une flotte engloutie. Les mausolées de la division des vanités, édifiés au début du siècle par les familles des grands industriels ou par les magnats eux-mêmes, en prévision des cendres, s'enfouissaient pareillement sous un marbre des plus antique chu des vagues carrières du ciel. Avec son dôme engravé de lumière, ses arcades et ses voûtes en plein cintre, le plus fastueux, à la gloire des Poznansky, dominait l'îlot architectural.

Réfugié depuis des semaines dans la crypte comme naguère dans les arbres, Jan-Matheusza, qui s'était acquis le droit de passage des fouines et des belettes, arrangeait un intérieur relativement hospitalier, ni trop froid ni trop humide, avec un bric-à-brac glané sur place ou dans les rues du ghetto. On trouve à se vêtir et à s'équiper même dans le dénuement : vieux cartons, sacs de chiffons, planches sauvées des fourneaux. Sa tunique de jeune tambour n'avait pas encore perdu ses boutons d'or et les solides souliers légués par Schmuel Korowicz, bourrés de papier journal, lui tiendraient chaud plus d'un hiver. Avec sa solide porte basse au système biscornu de fermeture déjoué par une succession de manœuvres plus complexe qu'un rébus de coffre-fort, mais sans verrouillage intérieur, la crypte était davantage qu'un abri pour Jan-Matheusza. Il ne redoutait plus rien du monde dans cet écrin de solitude. Ni la faim ni la peur ne le tourmentaient vraiment. Il s'asseyait en tailleur sur un tas de hardes et contemplait sans fin les variations de la lumière qui s'infiltrait en faisceaux par les fines archères. Certains soirs, quand la fatigue le retenait, il attendait que sonne la cloche du factionnaire à l'entrée pour allumer avec son briquet à mèche d'amadou les sept ou huit lanternes funéraires récupérées sur les tombeaux, toutes alimentées à l'huile de vidange. Nul ici ne pouvait l'atteindre, hormis les créatures des songes quand s'éteignaient les lampes. Le comédien lui avait cédé l'antre chimérique de ses ancêtres. Sans doute s'était-il enfui de Lodz avant la constitution du ghetto, mais son masque de clown blanc s'animait toujours d'étranges grimaces enveloppantes et se confondait pour finir avec le visage plus versatile qu'un nuage de Maître Azoï, le marionnettiste de la rue Starozikawzka...

À peine endormi au-dessus de la fosse circulaire où d'invisibles ossements reposaient, le voilà assailli par tout un monde de simulacres. Depuis son repaire, au fond du chantier oublié derrière une palissade, Maître Azoï l'a conduit par un passage tortueux dans les sous-sols, le long de couloirs voûtés, de cave en cave à travers les murs aux briques descellées par endroits. Jusqu'aux fondations de cet autre bâtiment insalubre, à l'autre bout du pâté de maisons, d'où il faut passer un puits de lumière puis gravir trente marches de ciment friable pour atteindre enfin une vague remise encombrée de pantins suspendus aux cloisons, de valises en carton et de panneaux de bois peints. Ce local sans fenêtres, à usage de coulisses, jouxte le minuscule théâtre coincé entre un atelier de chapellerie et une manufacture de textiles non tissés – voiles d'hivernage et feutres de laine ou en poil de lapin.

Tant éveillé qu'endormi, Jan-Matheusza ne cesse de rejoindre, selon un même parcours dédalique, le puits de lumière où il se faufile frileusement avant de gagner l'atelier de Maître Azoï et de se mêler, là-haut, aux marionnettes des coulisses. Il y en a des dizaines de maintes tailles suspendues à de gros clous forgés, toute une famille de pupazzi cocasses aux têtes de pendus, quantité de fantoches mélancoliques emmêlés dans leurs fils, des rois de Judée brandissant des sceptres de bouffon garnis de grelots, des marottes à main prenante dans leur cape d'illusion. Maître Azoï, qui vient de descendre l'escalier abrupt desservant son logis réservé des combles, semble mal se défendre de leur emprise.

— Regarde-les, toutes! lui chuchote-t-il d'un air de confidence. Mais qu'est-ce qu'elles me veulent avec leurs faces de *bubele*? Elles se fichent bien que mes deux sœurs crèvent de consomption et que mes vieux parents se consument de faim et de maladie, pendant que ce méchant pharaon de grand-oncle Moshe se moque et ricane...

Cependant le spectacle commence dans l'alcôve de velours rouge du théâtre des Quatre Sabots. Les chaises et les bancs du parterre grincent au pied du castelet. Ces gens à l'odeur de houille et de suif, sans âge, crachotant et toussaillant, accoutrés d'un bardage de défroques, d'où viennent-ils? Dissimulé aux yeux du public, Maître Azoï fait signe à l'enfant de lui glisser dans le dos le démon à gaine, un joli dibbouk vomi par la géhenne à cause de son penchant ridicule pour les fraîches mortelles, tandis qu'il promène sous ses tringles deux jeunes vierges en santé, filles du riche docteur Pantacle bien connu pour enflammer toutes les fièvres. Les sœurettes éperdues d'amour à l'endroit d'un aspirant hassid, grand extracteur d'étincelles saintes, trop beau et déjà trop savant, préparent de conserve l'affreux drame romantique.

— J'ai tranché la corde, dit l'une.

— Nous entrerons ensemble dans l'odieux trépas, déclare l'autre.

— Sur le tapis brûlé de nos rêves, conclut la première.

Mais Ob, le démon des Syriens, de surcroît habile ventriloque, a la vertu fort répugnante de clamer ses prédictions par le derrière :

— Et que diriez-vous d'un diadème étincelant de pierreries jeté à vos pieds mignons par un cavalier à queue de paon et tête de mulet ?

Les deux vierges prises d'effroi se détournent vivement de l'immonde incube en mal de giron et poussent à la volée des cris de paonne qui sortent sans tarder l'enfant de son profond sommeil.

Étonné de voir le soleil filtrer des archères, Jan-Matheusza se mit sur pied, la tête remuée d'une débâcle de chimères, et demeura de longues minutes immobile, à chercher un sens à sa vie. Dehors, les corneilles faisaient craquer l'air gelé. Il crut entendre un miaulement, puis comme un tintement d'os entrechoqués et de crécelles. Deux pies jasèrent. Des bruits de ruissellements annonçaient le redoux après toute cette neige ; allait-elle se transformer par miracle en lait chaud ? Il se souvint avoir gardé une tranche de pain rassis dans la poche de son manteau. Du temps de ses vagabondages, la faim ne l'avait pas vraiment tourmenté ; il était moins aisé de se nourrir dans la misère forcée d'un coin surpeuplé de la ville. Pourquoi obligeait-on les gens d'autres quartiers à s'entasser avec ceux de leur espèce dans ce périmètre carcéral ? Des contingents d'ouvriers polonais avaient planté des pieux et déroulé des ronces de fer tout autour, comme une nasse, un immense filet d'hameçons en travers des rues et des places. Ils avaient construit d'horribles ponts de bois par-dessus deux grandes avenues réservées aux tramways et aux convois militaires. On avait le droit de les emprunter derrière les clôtures couronnées de chevaux de frise pour se rendre d'une zone de confinement à l'autre, mais sans s'arrêter, au risque d'être mis en joue par un milicien ou un agent de la Kripo. Des patrouilles longeaient jour et nuit les barbelés avec leurs chiens et leurs fusils. Pourquoi avait-on contraint les gens à coudre des étoiles sur le cœur et dans le dos, comme des cibles ? Par jeu ou dérision, Maître Azoï en avait agrémenté certaines marionnettes, les plus grandes.

Désormais à Lodz, dans les quartiers enclos, des espèces de policiers drôlement vêtus, portant eux aussi l'étoile jaune, se baladaient au milieu des Juifs affamés, avec pour seule arme une matraque à la ceinture. Était-ce aussi par jeu ? La veille au soir, à l'autre bout de la rue Starozikawzka, alors qu'il était sorti du théâtre de marionnettes par le méandre des caves, un soupçon l'avait pris : d'où venait le public famélique de Maître Azoï, par quelle inexplicable fantaisie les spectateurs se retrouvaient-il tous rassemblés sur les bancs, toussotant et grelottant, chaque fois que s'ouvraient les rideaux rouges du castelet ?

C'est à ce moment précis que, surgis de sa distraction, deux policiers à étoile coiffés de la toque de guignol l'interpellèrent.

— *Hey ir, ganef!* Viens donc voir par là! *Oy vey,* tu n'as pas ton *gelbe shtern?* Quel âge : *tsen, elf?* Bien plus de *zeks yor!* Alors où est cousu ton *gelbe shtern* ?

Jan-Matheusza avait appris à courir à la manière des lièvres dans les prairies lumineuses. Deux fantoches taillés dans le bois des villes et médiocrement entraînés ne sauraient rattraper l'enfant sans étoile. D'un coup, bondissant dans la neige éblouie du crépuscule, il s'était souvenu sans pouvoir rien nommer des hurlements, des explosions et de sa course folle loin, si loin du shtetl et de sa mémoire en flammes.

En son noir palais de marbre, les yeux clos, toute une nuit déchirée des appels d'autres mondes, il a cherché du bout des doigts, par gestes gourds, le pantin de chiffon aux contours changeants façonné à l'aveuglette dans un tas de hardes. Un bruit de source ou de rivière l'apaise au petit jour. Les cris des crécerelles en chasse évoquent un instant la danse de squelettes pleurant les vignes de la vie. Dehors, un grand soleil pâle se lève sur les tombes. C'est le printemps. Des passereaux rassérénés chantent à tue-tête et les trains sifflent. Un vacarme sourd de masses d'abattage, de grues tournantes et de pelleteuses monte peu à peu de la ville.

19

Ne dit-on pas que l'espérance est l'audace des pessi-
mistes? Chaïm Rumkowski – récemment élu Judenälteste du Ghetto Litzmannstadt constitué des trois
zones mitoyennes de regroupement des Juifs de
Lodz – ne doutait pas en son étoile. S'il partageait
avec ses coreligionnaires une foi inébranlable en
d'immémoriales traditions plus solides que tous les
temples de pierre, le doyen du Conseil n'aurait su dire
de qui il tenait son goût immodéré des responsabilités. Tout de même pas de l'exemple envahissant des
Mussolini, Franco, Staline ou Adolf Hitler! Il n'en
demeure pas moins qu'un homme sans projets ne sera
jamais dictateur. Conscient d'être un otage d'expérience et de caractère, Rumkowski avait suffisamment
éprouvé ses limites au gré d'une longue carrière d'affai-
riste, de promoteur de bonnes œuvres, voire de
banqueroutier, pour prétendre être en mesure de les
dépasser. Cette canaille de Hans Biebow avait fini par
lui donner les clefs de sa confiance dans un grand
éclat de rire, avec une seule réserve toutefois : l'accord
provisoire de la Kriminalpolizei et plus largement
du Reichssicherheitshauptamt. Que pouvait-il bien

vouloir dire par « provisoire » ? L'heure n'étant plus aux subtilités, le doyen ne s'arrêta pas sur ce mot et avait exposé point par point son plan d'organisation du ghetto et les aspects de sa politique de développement industriel au gestionnaire des ressources en poste aux affaires juives. Depuis les massacres de mars dans les rues du centre-ville et les exécutions de masse dans la proche forêt de Zgierz, la majorité des Juifs encore présents à Lodz, par grande désolation, volonté de résistance ou fidélité à leur mémoire, s'étaient résolus la mort dans l'âme à intégrer la réserve du ghetto, comme leurs tourmenteurs l'avaient conjecturé en usant des procédés de la chasse à courre – pourtant abolie par les nazis pour ce qui concerne les bêtes sauvages –, avec ses meutes de chiens crieurs, ses trompes et ses rabatteurs ; leur gibier y gagnant somme toute une relative sauvegarde. En charge de son peuple, Rumkowski s'était promis de conforter ce sentiment de sécurité en coopérant sans scrupules avec l'occupant. Comment agir autrement quand la moindre velléité d'insoumission se solde par la pendaison publique ou une balle dans la tête ? Hans Biebow l'avait mis au parfum : dans l'esprit du Reich, les quartiers réservés n'étaient qu'une étape, un transit probable avant la déportation et les camps. Les ghettos se multipliaient partout en Pologne, ils fleurissaient comme des plaies béantes. Mais l'Allemagne en guerre, assoiffée de ressources, transigeait avec ses fournisseurs sans réelle discrimination. On épargne les esclaves à partir d'un certain seuil de rentabilité. Quant aux objectifs des déportations évoquées, l'administrateur avait éludé sa curiosité par des plaisanteries : « Que diriez-vous de l'Ouganda, de Madagascar ou de la Sibérie ? »

Investi de tous les pouvoirs dans les limites du ghetto, Rumkowski devait en répondre auprès du même Biebow, son interlocuteur direct, et d'une Polizeistation spéciale de la Gestapo installée intramuros, à l'angle des rues Limanowskiego et Zgierska. Le Judenrat, siège du Conseil juif constitué en assemblée, se tenait à proximité, dans l'un des immeubles anciennement occupés par des immigrés prussiens et désormais relogés dans les appartements réquisitionnés du centre-ville.

Comme chaque matin en semaine, l'assemblée devait se réunir dans une vaste salle d'un rez-de-chaussée entièrement mis à la disposition du Judenrat. Outre une chambre de repos que le doyen s'était réservée et un hall d'accueil servant aux réceptions, les adjoints et assesseurs se partageaient les bureaux des différentes administrations : pour la gestion des entreprises, le ministère des écoles, le maintien de l'ordre, le recrutement des agents de la fonction publique et de la police municipale, mais aussi le logement, les allocations aux vieillards et aux handicapés, les commerces et la distribution des denrées alimentaires, la salubrité urbaine, les hôpitaux et autres services de santé, les activités forcément discrètes du consistoire, les pompes funèbres... Rumkowski menait son monde avec diligence, ne laissant personne s'octroyer une liberté d'initiative qu'il aurait un jour à légitimer auprès des bailleurs de la Kommandantur. Si les charges de l'économie, de l'industrie et de la production lui étaient prioritairement dévolues, il ne voulait rien lâcher de ses attributions. On l'avait averti en haut lieu que le moindre manquement serait sanctionné par la destitution, l'emprisonnement ou pire encore.

— Le ghetto est maintenant enclavé, verrouillé, sans issue, dit-il d'emblée aux membres du Conseil réuni au grand complet. Et des palissades infamantes ont commencé d'être dressées derrière les clôtures de barbelés. De l'autre côté, les goyim polonais eux-mêmes sont chassés en masse de leurs habitations au profit des goyim germaniques. Vous comprenez pourquoi nous sommes contraints, obligés… Qu'y pouvons-nous ? Notre liberté d'action est liée à une totale subordination…

Mal rasé, la nuque douloureuse après une mauvaise nuit à rêver d'une confrontation dégradante avec le Reichsführer Henrich Himmler en personne, le doyen saisi d'un sentiment d'intense solitude passa en revue du coin de l'œil chacun de ses collaborateurs. Ces gens-là, pour la plupart, avaient été de dignes représentants de la communauté avant l'invasion, en dépit des mesures xénophobes du pouvoir polonais d'alors et des frictions avec la population. Mais enfin on ne subissait pas l'équivalent d'un pogrom chaque matin, il y avait de la place pour les cérémonies, le travail et les réjouissances. À sa gauche, enfoncé dans son siège, la barbe cachant à demi ses vieilles mains nouées sur un maroquin, le Rav Minkowski baissait tristement la tête. Six mois plus tôt, aux confins sud de ce qui n'était pas alors un ghetto, il officiait dignement dans la grande synagogue de la rue Wolborska, réduite aujourd'hui à un tas de gravats. Sa triste barbichette avait été léonine. Sa science de talmudiste qui l'irradiait alors d'une fougue espiègle, presque enfantine, s'était comme résorbée en rides et pliures sur ce visage plus usagé que les manuels de lecture du heder. Face à lui, dans une attitude de prostration, la tête entre les mains, son vieil ami Henryk Neftalin, qu'il avait chargé du bureau des archives afin de constituer et de conserver la chronique des événements, subissait le contrecoup de la perte d'un enfant en bas âge, emporté cet hiver par l'épidémie de typhus. Cet homme de confiance sacrifiait le sort collectif à son pauvre chagrin, tandis qu'on brûlait et tuait partout en Europe, que la glorieuse armée française reculait lamentablement devant les panzers. Rumkowski ne pouvait comprendre pareille faiblesse. Certes, lui était veuf et sans descendance, mais il aimait les enfants, il les protégeait, les cajolait, créait pour eux des crèches et de nouvelles écoles. On en recensait à ce jour trente-six dans le ghetto avec obligation aux professeurs d'enseigner le yiddish. Au vu des circonstances, il fallait penser aux vivants par-delà sa peine pour les disparus. Un quart de ses administrés avait moins de quatorze ans. Que d'enfants, que d'avenir! Henryk Neftalin et son assistant l'écrivain

Oskar Rosenfeld avaient néanmoins engagé un travail remarquable en associant au projet des photographes professionnels comme Mendel Grossmann et Henryk Ross, ainsi qu'une équipe de chroniqueurs et d'historiens chevronnés : rien ne se perdrait de la mémoire du ghetto. À sa droite, l'insdustriel David Warszawski, peu sujet aux états d'âme, semblait mobiliser ses facultés mentales dans l'observation d'un couple de mouches virevoltant au-dessus de sa serviette en cuir de Russie posée sur la table. Son usine d'articles de confection n'en était pas moins un modèle de productivité, un exemple pour tous les ateliers, fabriques et manufactures qu'il allait falloir fédérer ou agrandir à la faveur d'une main-d'œuvre considérable, experte ou novice, mise à la disposition du Judenrat par la force des choses. À l'autre extrémité de la table – passant sur les faces blêmes des ex-factionnaires, bedeaux retraités, clercs déchus, intellectuels supplétifs –, le doyen croisa le regard charbonneux de Szaja Stanislaw Jakobson qui venait d'être institué président du tribunal du ghetto par l'ensemble du Conseil, avec un blanc-seing du gestionnaire Hans Biebow et l'accord distrait de la Kriminalpolizei établie dans la « petite maison rouge », à proximité d'une église convertie en entrepôt d'armes lourdes. Chaïm Rumkowski, auquel insupportait la plus infime remise en question de son autorité, lui chercha sournoisement querelle.

— Remettez votre chapeau, cher président ! Au Conseil, nous restons tous couverts en signe d'appartenance à la synagogue, même en l'absence de l'Arche sainte.

Szaja Stanislaw Jakobson, surpris par la saillie, s'exécuta de mauvaise grâce sans éclaircir pour autant son regard ni céder le dernier mot.

— Une question, Chaïm : les Allemands nous ont tous expropriés et dépouillés, ils ont bloqué nos comptes, nos avoirs, confisqué toutes nos valeurs. On nous a ordonné d'ôter la mezouzah de nos portes, l'usage de véhicules est maintenant proscrit. Ceux qui s'amusent à enfreindre ces décrets sont arrêtés par leurs agents, emprisonnés, souvent battus à mort ou pendus. Nous voilà contraints de vivre en autarcie à plus de cent soixante mille âmes dans les limites ridicules du ghetto. Que peut notre Conseil ? Les stocks alimentaires seront épuisés d'ici peu et la population n'aura bientôt plus un zloty en poche. Comment acheter et se nourrir, comment survivre ?

Rumkowski garda ostensiblement le silence afin de savourer cette minute de démoralisation générale que venait d'initier le tout nouveau président du tribunal. Vingt-sept visages décomposés s'étaient tournés vers lui. Il ôta ses lunettes dont il essuya les verres avec sa pochette de costume, les rajusta sans hâte sur son nez, puis cligna des paupières tout en se triturant le lobe de l'oreille gauche.

— Ne suis-je pas le doyen, le Judenälteste, votre guide à tous ? dit-il alors avec force. Toutes ces graves questions sont en passe d'être réglées ! Hans Biebow a contresigné mon programme de gouvernance du ghetto. Les Allemands ont une expression que nous ferons nôtre : *Arbeit macht frei,* le travail rend libre ! Nous allons leur démontrer nos capacités de gestion. C'est devenu pour nous un enjeu vital. On ne travaille jamais assez ! Tous les Juifs valides de douze à soixante ans seront réquisitionnés. Les services de Hans Biebow, c'est leur rôle, nous livreront des matières premières en quantité pour approvisionner nos chaînes de production. En échange des produits finis en tout genre sortis de nos usines, nous recevrons des denrées alimentaires par camions entiers. Il s'agit d'organiser au mieux la distribution pour la survie et l'épanouissement de chacun. Nous nous en sortirons par l'industrie et la discipline. J'y veillerai personnellement...

20.

Dans son atelier des coulisses du petit théâtre des Quatre Sabots, Maître Azoï ne fait pas franchement la différence entre ses personnages de papier mâché ou de bois peint et les menus assistants qui l'entourent. Tous ont un visage que la mémoire saisit mal et une âme plus labile qu'un courant d'air. Les marionnettes suspendues aux clous de maréchal-ferrant, celles qui ont joué la veille le grand drame des fils emmêlés et des tringles, le regardent par en dessous, la tête décrochée, d'un air de connivence. Impassible, le dos tourné, l'enfant blond taille avec des précautions d'orfèvre une bûche écorcée de tilleul à l'aide d'un canif. Il y a aussi Anshel, autre orphelin des rues, qui s'applique à coudre entre eux les bouts de chiffon d'une robe de fée ou d'un manteau royal.

S'il a pu constater la dégradation des conditions de vie, Maître Azoï ignore à peu près tout de la situation. Les saisons ont passé et c'est bientôt l'automne. Depuis la mort d'Esther, sa fiancée de plein soleil, il ne quitte plus sa tanière biscornue, faite de galeries de taupes et d'une enclave sur deux niveaux dans l'édifice de briques aveugle, pareille aux chambres d'une pyramide. Maître Azoï, à l'écart du monde, prépare chacun de ses spectacles avec une application maniaque. *Magnificences et ruines!* Tout l'univers doit tenir dans un paysage secret. Les enfants et les chats viennent à lui par les soupiraux et les palissades. Une magie les attire. Là-haut, dans son logis sans porte qu'on rejoint par une trappe, il préserve des assassins sa chère famille – la mère Mirele et Yentl Zydgi, le vieux père autrefois horloger de beffroi et forgeur en cadrans géants avec lettres, chiffres et hallebardes, Perle et Raina, les deux sœurs aînées tant amaigries par la virginité et la modestie, et enfin Moshe, leur grand-oncle immortel enveloppé par prudence dans son vieux talit effiloché, une bosse en forme d'œuf ou de corne sur le front.

Grâce à ses poupées d'exil au sexe adaptable, ses golems de porcelaine, ses marottes aux manches à large entournure munies de têtes à l'aspect de balai à frange, Maître Azoï peut conter bien des histoires. Mais avec l'âge et dans l'adversité, il n'est plus très sûr d'être aux commandes du castelet ; ses créatures semblent puiser en lui chaque jour un brin supplémentaire d'indépendance. Certaines en particulier – comme la fiancée du dibbouk dont la voix trop pure est un supplice de ventriloque ou son prince des schnorrers en bonne part escamoté à l'auteur britannique Israel Zangwill – se jouent de ses distractions jusque devant son public. Même Hadassah Bat Avihaïl, la reine Esther ciselée dans le cœur du plus tendre merisier, n'attend plus les festivités de Pourim pour décourager le marionnettiste. Mal guéri d'un trop long deuil, il l'avait fabriquée innocemment d'après l'unique portrait de la seule femme jamais aimée, morte de phtisie trente ans plus tôt. Réincarnée en idole articulée de bois et d'émail, vivante sous ses doigts, la belle Esther n'a plus cessé de le rappeler à sa promesse. *Ve'eleh shemot!* Il avait pourtant lu et étudié les livres de l'Exode et du Lévitique à la yeshiva autrefois, du temps où Esther n'était pas cette illusion déguisée en reine de Perse. On ne déroge au deuxième commandement qu'à ses risques et périls : « D'image taillée tu ne feras point, ni de représentation quelconque des choses qu'on distingue en haut dans les cieux, qu'on voit en bas sur la terre ou dans les eaux plus bas que la terre. » Est-ce à dire qu'il vaudrait mieux perdre la vue comme Isaac, Jacob, Akhiyahou et les taupes fouisseuses qui voient si clair à leur naissance ?

Maître Azoï n'a jamais laissé quiconque le suivre à l'étage. Au contraire de son existence rêvée toute dévolue au public, sa vie de famille est chose éminemment privée. Là-haut, la nuit, après l'atelier et les spectacles, il doit s'occuper des pauvres enfants du passé. Avec le temps, Mirele est devenue une toute petite vieille à l'épiderme de vipère velue qui lampe sans fin la soupe au lait du silence. Et papa Yentl, son compagnon de ténèbres, a cessé de compter les heures ou d'exiger qu'on allume la menorah avec sept allumettes différentes, une pour chaque planète. Perle et Raina, les sœurettes contrariées autrefois par la meute d'un pogrom, sont devenues d'année en année plus savamment compliquées, lisant à travers leurs longs cils les flammes dansantes du Talmud, semences et rendez-vous de la Mishna, et tous les cheminements de la perfection. Quant à Moshe, l'indifférent, le grand-oncle à face de momie, il règne sur la vermoulure et les murs teigneux tandis que déferle la mémoire par-dessus les barbelés, comme une souffrance, un orage de crêtes sanglantes, si brève dépêche du néant lancée sur sept vagues d'azur...

Une grande année a passé. Les hirondelles nichent dans les ruines des synagogues. Comme chaque matin, Maître Azoï a ouvert toutes les ouvertures, trappes, escaliers et couloirs afin d'aérer l'atelier saturé d'odeurs de vernis, d'éther, de colle de farine avariée, de bière rance, de pâte à papier décomposée, de poussière, de rat mort, de viande froide macérant dans la laque et le goudron. Jan-Matheusza le regarde faire, sa bûche de tilleul sur les genoux. Jan-Matheusza n'ôte jamais son caban de jeune tambour. Les boutons dorés tant de fois recousus ont un peu terni. Jan-Matheusza n'a jamais porté l'étoile encore, ni en brassard, ni sur le dos ou la poitrine. On lui a pourtant dit et répété que c'était obligé – *obowiazkowe, mandatori, obligatorish!* – et qu'il risquait de goûter aux matraques de la police juive intra-muros ou d'être tiré comme un lapin s'il s'approchait de la clôture. Les agents de la Kriminalpolizei juchés sur leurs miradors entre les grillages de barbelés et la palissade d'enceinte ont toute latitude pour abattre les contrevenants.

Maître Azoï qui ne voit plus très clair malgré ses verres à triple foyer ne saurait guère se passer de lui ou de l'habile Anshel, son assistant muet – même s'il connaît par cœur l'endroit, ses dédales et recoins les plus obscurs. Sur scène, les décors changent et les pantins qui se succèdent ou s'affrontent demandent une intense concentration pour garder prestance et ne pas s'emmêler dans leurs fils. Jan-Matheusza aime assister le marionnettiste, peut-être l'un des trente-six Justes ou bien le dernier des fous ; il apprend de lui le maniement des figurines et l'art de leur donner la parole sans bouger un seul muscle du visage. Plus le théâtre est petit, plus on a besoin de mains. Les doigts deviennent agiles. Manipuler les tringles est aussi ardu que jouer du violon ou du bandonéon. Anshel et lui s'échangent les instruments de musique et égayent de conserve l'assistance au final, avec Maître Azoï à la clarinette. Jan-Matheusza connaît si bien chaque histoire, chaque rôle du répertoire, qu'il va sans hésiter dépendre des clous les héros et les héroïnes, les comparses et les acolytes, les diables, les figurants, au gré de la distribution et selon l'ordre précis d'entrée en scène. Hier, il fallait assurer la reprise des aventures du hassid Faïvel de Przysucha. La marionnette n'avait pas quitté son râtelier, sa belle tête de papier mâché aux yeux d'orfraie enrichie d'une vraie barbe et de papillotes recueillies avec respect à la morgue du cimetière. Il a tout de même fallu lui refaire son vieux caftan déchiré à la taille et lui coller sur le crâne un shtreimel de fortune avec des chutes de fourrure et de la ouate filée pour les queues de zibeline.

De l'autre côté du castelet, derrière le rideau de scène, tête baissée pour changer les décors ou y glisser les accessoires, Jan-Matheusza écoute intensément l'histoire du ventriloque impassible. Le hassid Faïvel passe ses journées à étudier et à écrire à la salle d'étude, prétendant compléter le Talmud de Jérusalem par ses commentaires juvéniles. Mais dans sa quête ivre de vérité, saisi d'une fièvre froide, il mélange à peu près tout, ses lectures d'hier et ses prières du jour, les traités de la Mishna et les digressions des amoraïm ; cependant, persuadé être un nouveau maître de la Torah dans ses aspects kabbalistiques, il ne sait plus ce qui tient du songe ou de la réalité, oubliant le matin où il a bien pu laisser habits et souliers la veille. Au début, fort de l'enseignement du joyeux et si triste Rav Nahman de Bratslav, arrière-petit-fils du Baal Shem Tov, il ne s'en inquiète guère. Le Rav n'avait-t-il pas prévenu ses disciples : « Ne demandez jamais votre chemin à quelqu'un qui le connaît, car vous pourriez ne pas vous égarer » ? Toutefois son trouble s'accroît chaque jour davantage, au point qu'il finit par perdre son talit et confondre tous les objets qui l'entourent. Aussi décide-t-il un soir, juste avant de se coucher, de crayonner le plan de sa chambre sur une feuille de papier avec l'indication exacte de l'emplacement de chaque chose utile : sur la table son chapeau, au coin du lit ses chaussures, derrière la porte son caftan… À tout hasard, il dessine également son lit et sa propre personne allongée dessus. La feuille de papier soigneusement pliée en quatre et glissée sous l'oreiller, il peut s'endormir tranquille. Au petit jour, grâce à son dessin, il retrouve sans difficulté caftan, souliers, shtreimel. Puis il regarde le lit, et – terreur! – personne ne s'y trouve, à part le moulage drapé d'un corps. Lui, Faïvel, n'est-il pas le plus savant des hassidim de la petite ville de Przysucha? Dans le sommeil, tout le monde l'admet, l'âme se retire vers le haut après avoir déchiré les membranes impures de la réalité. Ne demeure plus sur terre que son empreinte pour faire battre le cœur. Il n'empêche que s'il ne se récupère pas lui-même en chair et en os au creux du lit, c'est qu'il a forcément dû s'égarer pendant la nuit. Heureux celui qui sait éclairer les lumières! Rasséréné, Faïvel part aussitôt à la recherche de lui-même à travers la cité et au-delà, par les champs, les forêts et les lointains shtetls. Il marche comme marchent les sages, sans trop trembler, les yeux grands ouverts. Cependant la faim et l'effroi le prennent bientôt de court. Que va-t-il advenir de lui, seul à la belle étoile, dans le vaste monde indifférent? S'il meurt, c'en serait fini, il ne se retrouverait jamais plus. Impossible de se présenter privé de soi-même devant le Tribunal céleste pour le Jugement!

C'est la partie de l'histoire que Jan-Matheusza préfère. Est-il possible de se perdre soi-même comme un manteau ou un chapeau? La suite n'en finissait pas. Il était question d'une riche demeure et d'une écurie où le maître gardait un étalon de grande valeur.

Venu demander secours, le jeune hassid est embauché comme gardien du cheval, mais toujours perdu dans ses pensées, il le laisse s'échapper une nuit malgré ses bonnes résolutions. Le lendemain, naturellement, Faïvel est mis à pied. Il reçoit en outre une raclée magistrale du propriétaire et constate alors, fou de joie, que ses bras, ses fesses, ses côtes et son crâne lui font horriblement mal – preuve par quatre qu'il s'est retrouvé ! Réconcilié avec son ombre, Faïvel de Przy-sucha ou d'ailleurs en perd sur-le-champ toute vanité. Enfin rentré chez lui, il concevra pleinement à quelles aberrations mènent le confinement et l'étude égoïste. Si vous ne tenez pas à vous perdre en route, arran-gez-vous pour ne pas partir seul.

21

Les feuilles des érables d'un parc interdit, là-bas, au-delà des barbelés, avaient des teintes ocre et rouges ; au moindre coup de vent, elles se détachaient et s'envolaient avant de choir, allègres comme des mésanges. Entre deux planches disjointes de la palissade, de l'autre côté du ghetto, on distinguait aussi le titanesque bras tendu d'un hêtre et la palpitante, presque sonnante, monnaie d'or des bouleaux dans cette inviolable magie de la lumière. L'automne, songea tristement Henryk Ross. Il laissa monter à ses lèvres les vers d'un poète autrichien, son cher Rainer Maria Rilke :

Les feuilles choient, choient comme si là-bas
de lointains jardins se fanaient dans le ciel ;
elles choient avec des gestes de défense.
Et la lourde terre tombe au fond des nuits
de toutes les étoiles, elle tombe dans la solitude.
Nous tombons tous. Cette main aussi tombe.
Et vois, cette chute s'accomplit en mainte autre
  main.
Pourtant, on en sait un qui dans sa paume retient
cette chute, si délicatement, éternellement.

En ces jours de l'automne 1940, l'odeur de sang, de sueur et de putrescence débordait des champs de bataille, des charniers, des cimetières et même du palais des princes, jusqu'au cœur détruit des villes, dans les rues surpeuplées des mille ghettos, au fond des oubliettes et des hideuses tranchées où succombaient les innocents. Personne n'eût pu retarder les processus invasifs de décomposition enclenchés un an plus tôt en Pologne. Nuées de vautours planant sur ces décombres, les automates du Reich et de ses complices exultaient autant que cela fût permis au moloch. Pompes et apparats camouflaient mal les potences et les fosses communes. En aucun cas la mort aveugle ne saurait réfléchir le néant. Des milliers d'étendards frappés de la croix gammée ou de l'aigle aux ailes mécaniques flottaient sur les pinacles d'Europe.

Henryk Ross en était pleinement conscient : toute échappée serait bientôt forclose pour ceux qui, jour après jour, avaient décliné l'exil. Il s'était laissé enfermer presque à son insu avec Stefania et, malgré les conjonctures encore propices pour lui et son épouse, il n'avait pas le cœur d'abandonner ces gens. Multipliée par dix, la population des quartiers pauvres de Lodz désormais captive fourmillait dans les rues, les cours et les places, empruntant en colonnes processionnaires les deux massives passerelles de bois qui franchissaient les avenues Zgierska et Limanowskiego, réservées à la circulation non juive, et scindaient le ghetto en trois zones.

Son précieux Leica 250 Reporter suspendu à son cou, un trépied télescopique en bandoulière, Ross arpentait les rues sans être inquiété jusqu'à ce qu'un tout jeune auxiliaire de la police interne, lui ayant fait remarquer que l'étui de l'appareil photo cachait l'étoile cousue sur son veston, s'obstinât à vouloir contrôler ses papiers. Peu seyant sur sa carcasse, l'uniforme exaltait son zèle de crève-la-faim. La présentation d'un laissez-passer spécial du Département des statistiques du Judenrat contresigné par l'administration allemande suffit à le tétaniser. Dans le regard de l'apprenti pandore se lisait l'effroi du bon sujet pris en faute.

—Vous devez être nouveau dans la brigade, observa Henryk Ross un peu désolé d'être témoin de sa honte.

—Je débute, oui, c'est mon premier jour, bredouilla l'auxiliaire en saluant d'un air gauche.

Henryk Ross haussa les épaules et reprit son chemin à distance raisonnable de la clôture. Outre son statut de photographe d'état civil confiné à l'illustration des cartes d'identité tamponnées d'un *Jude*, il venait d'être affecté au service de propagande, son rôle consistant à prendre des clichés fallacieux de la vie quotidienne ou de l'efficience bien réelle de la main-d'œuvre juive dans les nombreuses manufactures et usines aménagées ou remises en fonction par le doyen avec l'aide logistique de la Gettoverwaltung. Quitte d'un pauvre bougre de la police juive équipé d'une matraque, on pouvait tout craindre des unités spéciales vouées à la surveillance du périmètre. Henryk s'était rapproché sans drapeau blanc des barbelés, attentif aux moindres gestes des gestapistes circulant ou devisant entre deux miradors. Avant l'occupation, lorsqu'il travaillait au titre de reporter pour la presse libre de la voïvodie sous un régime ultra-nationaliste, il lui était souvent arrivé d'être confronté à l'arbitraire, lors d'une manifestation ouvrière violemment réprimée, par exemple, ou d'une émeute antisémite attisée par le pouvoir, mais ce qu'il observait aujourd'hui en acteur passif dépassait tout ce qu'un esprit averti eût pu alors imaginer. Ces gens-là pourtant ne faisaient qu'obéir aux ordres, des ordres monstrueux qui auguraient du pire.

Un bon photographe se doit d'exercer un œil affranchi de toute censure sur le moindre événement. Lui et son collègue Mendel Grossmann, davantage affecté aux cérémonies officielles, ne se privaient pas d'intercepter les plus criants instants de vérité. Le Judenrat les fournissait avec une certaine parcimonie en pellicules. Mais satisfait de leurs prestations, on les laissait faire leur cuisine en chambre noire. Henryk Ross jugeait seul de la valeur de ses négatifs. À côté des images convenues qui rassuraient ses commanditaires, personne n'eût pu le soupçonner de fixer l'envers effarant du décor, sauf à le surprendre en flagrant délit ou à découvrir au hasard d'une perquisition les boîtes de fer-blanc témoignant de ses reportages clandestins.

À cette minute, c'est ce grand milicien blond officiant à cent mètres d'un portail de « douane » protégé par une automitrailleuse, de ce côté de la barrière, qu'il aurait aimé surprendre dans ses exactions. L'individu, un certain Geler Yanek, avait acquis une manière de célébrité au ghetto pour ses meurtres de passants abattus sans choix ni règle, une trentaine pendant l'été, à croire qu'il concourait au tir et à l'obstacle avec ses collègues de la Kriminalpolizei. Qu'un Yanek puisse être toujours en poste avec un pareil tableau de chasse éclairait assez les objectifs de l'occupant. Et l'aveuglement consenti des Juifs de Lodz prisonniers de cette nasse ne cessait d'étonner le photographe. Un tiers certes avait fui la ville avant l'application des décrets. Dépouillés et désormais réduits en esclavage, les deux autres tiers se pressaient par dizaines de milliers d'un secteur à l'autre du ghetto, entre leurs logis surpeuplés et les lieux de travail ou d'approvisionnement. Henryk restait dans sa fonction en se promenant à contre-courant. Les rues désolées qu'il sillonnait, chaque jour un peu plus empuanties et poussiéreuses, voyaient passer des cohortes somnambules d'où s'échappait parfois un homme ou une femme ivre de détresse, hurlant, se débattant, vite accablé de coups par une escouade de la police du Judenrat aux effectifs exponentiels. Ces patrouilles de nervis désarmés, leur ridicule casse-tête à la ceinture, évoluaient benoîtement dans la foule. Des otages surveillaient d'autres otages entre les façades grises. Tous portaient l'étoile, les anciens riches de moins en moins identifiables à leur mise, les intellectuels circonspects, les fonctionnaires congédiés, les ouvriers et les artisans accablés d'ouvrage ainsi que la masse des miséreux, des vieillards inquiets de leur survie et des enfants livrés à la rue. Tous subissaient un même maléfice. Combien de temps encore pourrait-on distinguer les uns des autres ?

Attelés à quelque vieil équidé voué à la boucherie, des tombereaux chargés de cadavres ou de fournitures circulaient encore sur les chaussées envahies par les pousseurs de brouettes, les portefaix et les charrettes à bras. La mort n'effrayait plus les enfants. Coutumier des haut-le-cœur, on ne s'écartait plus des fourgons d'excréments conduits vers les décharges. En l'absence d'égouts et autres systèmes d'évacuation, le ghetto se défendait mal des pestilences. À l'approche de l'hiver, le typhus et le choléra mobilisaient un corps médical conséquent mais cruellement privé de moyens. Est-ce devant les dépouilles des premières victimes de l'infection déposées anonymement sur le trottoir, tandis que des rats se coulaient le long des murs, ou au spectacle des pendaisons de deux jeunes filles accusées d'appartenance à un réseau terroriste, que l'idée lui vint de faire un autre usage de son matériel ? En témoin du jour torve des tueurs, de l'abandon aux offenses, de l'égarante durée vécue des créatures soudain prises à la gorge. Il était inconcevable qu'on étouffât ces jeunes filles impunément comme deux bougies diaphanes au vent de la nuit. Chaque matin, dit-on, l'âme des justes se renouvelle, mais celle des innocents jamais ne connaîtra la consolation.

D'un secteur à l'autre, après avoir emprunté une des passerelles franchissant l'avenue Zgierska où passe la ligne de tramway vers Radogoszcz et Zgierz, il chemina jusqu'aux ruines de la synagogue de la rue Kosciuszki et se dit une nouvelle fois qu'il aurait pu fuir Lodz avec Stefania, gagner les territoires polonais occupés par les Russes, ou la Suisse, ou l'Espagne, puis comme tant d'autres quitter sans retour cette Europe de délateurs et d'égorgeurs. Pour la Palestine, pour Yeroushalaïm invoquée depuis mille et mille ans par les rescapés de tous les bûchers du fanatisme le plus ignare comme de la plus docte barbarie. Mais hormis les images floues du souvenir, que lui serait-il resté pour attester des infamies et des crimes de l'envahisseur ? Cela seul l'avait retenu à Lodz, sans vraie conscience de l'ampleur du désastre. Captif du ghetto, il ne pouvait plus ignorer la monstruosité sans faille, massive, bientôt universelle, de ce qui s'était mis en place et commençait de s'accomplir. Et c'était un douloureux paradoxe que de devoir son relatif confort aux offices de propagande du Judenrat et des nazis, tandis qu'il accumulait patiemment, dans un périlleux secret, les preuves de l'ignominie.

Un instant, Henryk cru voir un animal se couler et bondir parmi les entassements de pierres noircies de la synagogue. En se rapprochant, il devina une morphologie d'elfe ou de lutin à la souplesse de chat. Plutôt que saisir son Leica, il s'avança davantage et l'appela d'une voix tranquille en brandissant une pomme, trésor offert par un contrôleur des ressources du bureau d'approvisionnement. Une tête blonde surgie entre deux blocs de granit considéra les ombres claires environnant ce personnage bien vêtu au sourire normal, ni trop curieux ni trop blasé. C'était sa manière de mesurer les risques, ce phénomène de menus reflets et de signes évanescents autour des gens et aux abords des lieux. Vigilant, il s'approcha sans hâte, un sac de toile en bandoulière sur sa tunique galonnée toute blanchie de poussière de plâtre. Henryk remarqua tout de suite que l'enfant au visage barbouillé ne portait pas l'étoile et qu'il ne manifestait aucune peur viscérale, pas même de la réserve. Il lui lança la pomme, rattrapée au vol à dix mètres et vite enfournée dans le sac de toile d'où un objet blanchâtre fut tiré en retour. Sans doute glané dans les décombres, c'était un gros morceau déformé de chandelle présenté en offrande à l'homme souriant. Celui-ci hocha la tête.

—Merci, merci à toi! Mais garde donc ta bougie pour shabbat. N'est-ce pas ce soir? Je ne t'ai jamais vu, comment est-ce qu'on t'appelle? Tu m'as tout l'air d'un petit soldat de l'armée des anges! Cela te dérangerait que je te prenne en photo?

22.

Par un de ces mystères que rien n'élucide, la palissade de la rue Starozikawzka était demeurée inviolable et cela malgré les planches disjointes où les chats se faufilent et un enfant parfois. La haute masse de fonte, les treuils et le palan rouillés inspiraient un mouvement de recul dès qu'on les entrevoyait, comme une chambre de torture à ciel ouvert dans l'étroit jardin converti en chantier immobile, à l'image de la mort ou de l'éternité. Jan-Matheusza, qui avait découvert par hasard l'enclos moulé dans une neige épaisse, le traversait sans plus d'effroi pour atteindre la porte basse puis, celle-ci franchie, l'espèce de remise encombrée d'un trésor de chiffonnier. Guidé par un bout de chandelle ou la flamme de son briquet à mèche d'amadou, il s'enfonçait alors dans un dédale d'escaliers et de corridors, de caves enfouies sous un siècle de pièges de soie en nappes, dômes ou collerettes d'invisibles fileuses – chantonnant du bout des lèvres la formule magique qui guérit des fièvres et des sortilèges : *Shlof, kindele, shlof...*

Enfin parvenu au puits de lumière comme après la traversée d'un fleuve d'ombre, tout son être en même temps se troublait et prenait joie à l'instant de retrouver l'antre aux pantins sur l'autre rive, et dans le vertige d'une porte ultime, le palais lilliputien de Maître Azoï. Suspendues sans ordre particulier sur les clous de forgeron, les marionnettes l'accueillaient à la lueur d'une ampoule nue ou, bien souvent, des lampes à huile. Le pâle Anshel aux longs cils, plus fermé qu'un livre, était toujours à besogner dans son coin en attendant l'heure du spectacle. Depuis que Maître Azoï lui avait narré son histoire de langue perdue, de vieux Tzigane et de berceau vide, il s'était dit une fois pour toutes qu'Anshel était la créature la plus accomplie du marionnettiste, lequel devait la dissimuler de son mieux pour ne pas être imputé de sorcellerie. Au demeurant, il s'accommodait de sa présence combien paisible, indifférente. Il aimait aussi l'horloge à pendule sans aiguilles qui chuchotait les heures avec exactitude sous son manteau de poussière. Pour divers motifs, on devait s'aligner sur sa mécanique assourdie et le silence d'Anshel dans ces coulisses incertaines.

Les visages peints des pantins, au système oculaire ou à la mâchoire inférieure articulée, semblaient feindre le mutisme entre deux jacasseries en catimini. Jan-Matheusza croyait parfois les surprendre à débattre entre eux de sujets impénétrables. Lorsqu'il s'assoupissait devant l'établi, yeux mi-clos, des grappes de marionnettes reprenaient vie hors du castelet à la faveur d'un songe… L'Ange à tête de bouc et le Veilleur des mondes, son collègue en armure d'argent, interpellent leur Créateur, mélancoliquement penché au-dessus d'un pullulement de minuscules trublions fomenteurs de déluge : « Ce que tes messagers ont prédit se réalise. Tu dois oublier la postérité de Caïn. » La Voix tonnante répond : « Sans les hommes, à quoi bon le Monde ? – Alors, laisse-nous descendre parmi eux » répliquent les intercesseurs séraphiques. La Voix montre son incertitude : « Quelle confiance aurais-je en vous, livrés aux filles des idolâtres et loin de ma Lumière ? » Descendus sur terre, les anges rendus visibles s'émurent en effet de la beauté des femmes. C'est ainsi qu'ils leur dévoilèrent le Nom qui donne des ailes. Cela n'empêcha pas que s'ouvrent les sources de l'abîme et les écluses des cieux, puis que la terre s'assèche après quarante jours, laissant proliférer l'engeance impénitente. Chassé au désert avec sur sa tête toutes les iniquités imaginables, le bouc émissaire dit-on court toujours.

Maître Azoï avait remarqué depuis un certain temps le regard trouble de son premier assistant qui, pour s'occuper lorsqu'on ne lui demandait rien de précis, se remettait à tailler ou à poncer avec obstination une belle tête de chérubin dans ce rondin en bois de tilleul qu'il lui avait offert en gratification. À voir ses yeux papilloter sur un coin particulièrement peuplé du mur, on pouvait présumer qu'il s'inspirait des figurines décrochées une fois l'an pour le Grand Jour des Expiations. L'effigie qu'il façonnait depuis des semaines et des mois dans les règles de l'art, après avoir creusé la moelle et décapé l'aubier, avait pris, ainsi inclinée sur ses genoux, un tel air de ressemblance, qu'elle donnait le sentiment d'un enfantement de lui-même ou d'un dédoublement, comme si Jan-Matheusza avait exhumé petit à petit son image d'un miroir de noyade. Même Anshel, le deuxième assistant, était fasciné par cette entreprise taciturne et peut-être machinale. Plongé dans un demi-sommeil, l'enfant amaigri par les privations, ses boucles blondes remuant comme les flammes d'une lampe sur la porcelaine du front, laissait courir ses doigts habiles bagués d'outils minuscules. Sur l'établi, étalé devant lui, un pot de colle et un autre de cellulose pour la pâte à bois, un rouleau de fil de fer, des corps creux en celluloïd ou en bakélite, des feuilles souples de peuplier, des chutes de fourrure de lapin et de cuir, des perles de verre et des lots de boutons, des mèches de cheveux coupés une nuit de pleine lune sur sa propre nuque, de la laine en pelote, des bouts d'étoffe et de feutrine extraits d'une boîte en carton. Glané sur place, dans les cours voisines ou lors de ses maraudes à travers les rues du ghetto, ce bric-à-brac s'était accumulé sans dessein réfléchi sous l'œil attentif de son hôte.

Ce soir-là, peu après la fermeture des manufactures de tissage et des ateliers de bonneterie jouxtant le petit théâtre des Quatre Sabots, seules deux lampes à huile éclairaient le castelet. Maître Azoï était accoutumé aux pannes ou aux coupures intempestives d'électricité. Par mesure d'économie, la distribution sélective d'eau courante était pareillement interrompue. Il distinguait à peine les visages, mais le public n'avait pas craint d'affronter la pénombre. Des senteurs d'ammoniaque et de chien mouillé montaient de la salle. Aussi, l'odeur aigre de la famine et celle plus mielleuse de la maladie, du sang noir au fond des gorges.

Les marionnettes heureusement ne connaissent du monde que la fable pour laquelle elles furent conçues. La mâchoire de bois d'un pieux schnorrer couvert de cendre se met soudain à claquer.

— Songe à ta fin et cesse de haïr! Dans la nuit qui emmure ton visage, tourne-toi vers la petite flamme intérieure. Sinon qui te sauvera? Un vent de nulle part soufflera ta maigre loupiote et tu t'enfonceras dans les ténèbres du shéol…

Sous les tringles passées d'une main à l'autre surgit alors Hénoch, le patriarche antédiluvien, gardien de tous les secrets et mystères célestes. Côté cour, un pas-de-chance bancal, plus shlémazel que shlémil, autrefois porte-balle, traverse alors l'étroite scène du castelet en se lamentant.

— *Oy vey!* Celui qui perd sa femme n'est pas moins éprouvé que s'il avait vu de ses yeux la destruction du Temple de Salomon!

— Voyez ce pauvre bougre! déclare côté jardin le patriarche. Les effacés et les humbles, ceux qui vivent comme s'ils n'existaient pas, maintiennent pourtant le monde sur son orbite. Tant que son épouse vivait, cet ancien marchand de petits riens n'avait aucune conscience de son existence. Le voilà bien malheureux !

— Tout l'univers s'obscurcit pour celui qui perd sa femme ! poursuit le colporteur déchu sans même entrevoir Hénoch dans son pourpoint d'archange.

À ce moment, l'esprit distrait par les soins à donner à sa bûche de tilleul trop tôt quittée sur l'établi, Jan-Matheusza s'entortille dans ses manipulations. Au lieu de la femme du porte-balle rappelée des ombres, c'est la reine Esther qu'il introduit en scène. N'y voyant goutte, Maître Azoï remarque cependant la couronne de brillants et s'en trouve bouleversé au plus incandescent de sa mémoire. Cette figurine, il l'avait sculptée d'après l'unique photographie en sa possession, non pas de la nièce de Mardochée, mais de sa propre dame, celle qu'il a tant aimée et qu'une faiblesse des poumons emporta. La coïncidence des situations réveille sa douleur ; trop affecté, il ne parvient guère à abaisser son épiglotte jusqu'au fond du larynx pour sortir sa voix de sifflet. Un instant aphone, le ventriloque laisse évoluer Esther devant la marionnette du shlémazel frappé d'une identique stupeur. Pourquoi une reine de bois et de carton ne délivrerait-elle pas le peuple juif des persécutions des nouveaux vizirs ? N'est-elle pas comme l'arbre de vie au milieu du jardin d'Éden ?

— Qui t'envoie à moi ? s'écrie le pauvre colporteur. Ce n'est pas jour de carnaval.

— Tu ne reconnais donc pas ta petite femme ? J'ai

quitté le roi de Perse pour te retrouver…

Comme jailli d'une même gorge, un énorme éclat de rire secoue alors la salle. Maître Azoï éprouve une grande honte envers son public. Suffit-il de perdre pied un instant pour le réjouir? La foule agite ses crécelles faute de pouvoir ramasser des pierres! Mais on ne lapide pas une marionnette sans défense. À ses côtés, dans le noir, derrière le rideau de scène, il remarque la pâleur extrême de son assistant. Allait-il maintenant défaillir? L'effigie d'Hénoch dont il a la charge tremble comme un hanneton agitant ses élytres. On ne peut décidément plus prolonger ce spectacle. L'absurde est une fin en soi, un bouc impur qu'on égorge en guise de baisser de rideau. D'ailleurs, Anshel enfile les bretelles du bandonéon et, pour distraire l'attention de l'assistance, rompt inexplicablement avec son mutisme de carpe et part à chanter d'une manière irréelle:

Dans le palais du parfait enfermement
Où sont reclus tous les palais
Dans le palais de l'éclair resplendissant
Dans le palais du secret des secrets
J'entends ta voix mais séparé de toi
Je ne peux plus voir ton visage
Dans le palais du fouet cinglant
Une goutte de vin est tombée sur ton sein

23

L'hiver 1941 n'eût pas été plus rude que les précédents si les conditions de vie ne s'étaient considérablement dégradées au Ghetto Litzmannstadt. Le manque d'hygiène, lié à l'absence de canalisations dans les quartiers défavorisés de Lodz et à l'arrêt presque général de la distribution d'eau potable en dehors des fontaines publiques, accroissait les pandémies infantiles et les foyers de typhus. Les hôpitaux et dispensaires subventionnés par le fonds d'entraide du Judenrat étaient combles et manquaient de personnel qualifié, de médicaments et d'instruments chirurgicaux. Et les lits n'auraient bientôt plus de draps à force d'en envelopper les trépassés destinés aux fosses communes. Même s'il restait quelques échoppes et marchands de rue approvisionnés à la sauvette, la plupart des magasins d'alimentation, depuis peu soumis aux aléas des quotas de répartition de l'administration allemande, ne seraient bientôt plus accessibles sans les tickets de rationnement distribués aux seuls ouvriers, hommes, femmes et enfants de plus de douze ans, des quelque quatre-vingt-seize ateliers et manufactures que gérait un Conseil à la botte du doyen. Au sein des familles nombreuses, il y avait toujours un ou plusieurs membres pour bénéficier des avantages du travail obligatoire. La foule des esseulés, vieillards, impotents, célibataires en difficulté, survivait grâce à la soupe populaire accessible sur présentation d'une carte d'identité ethnique établie par le bureau d'état civil. La police avec son armada d'agents et les légions de fonctionnaires du Judenrat profitaient d'un régime de faveur tout relatif, au prix d'une totale soumission. Seuls à négocier avec l'extérieur, les membres du Conseil mesuraient leurs privilèges à l'aune des services rendus. Tous craignaient le doyen presque autant que le Regierungspräsident Friedrich Uebelhoer ou les officiers aux yeux gris acier de la Kripo. Comment ne pas redouter la mégalomanie galopante d'un vieil arriviste borné et fort présomptueux qui s'était montré plutôt débonnaire tant que son ambition, privée de perspectives, avait consisté à parrainer les conseils des écoles et les fêtes de charité ? Malgré les satisfactions de ventre et d'ego, l'anxiété et un certain désarroi régnaient au sein du Judenrat. On s'y épuisait en intrigues concertées et autres brigues de couloir tout en rêvant de succession. L'incertitude est le secret des longues fidélités comme des pires trahisons. Un trait de plume du doyen, nul ne l'ignorait, suffisait à envoyer un ex-dignitaire piégé au ghetto dans un atelier de bonneterie ou une fabrique de matelas. À côté des mendiants massés à ses portes, les bourgeois d'avant-guerre, les artistes illustrateurs, les divas encalminées, les poètes à la scie et les chansonniers de comptoir se pressaient pour le servir ou lui offrir qui un bijou caché, qui un dithyrambe fleuri ou quelque faveur d'alcôve. Rumkowski régentait en despote le Ghetto Litzmannstadt qu'il considérait, pour son renom exclusif, comme le seul territoire autonome juif d'Europe. Largement consacré à ses fiançailles avec mademoiselle Regina Wajnberger, le dernier numéro du *Gettotsaytung*, organe de presse du Judenrat, donnait à lire quantité de bénédictions, d'hommages et de compliments versifiés à la gloire de l'homme providentiel, au nouveau Moïse, au futur président d'Eretz Israël. L'équipe rédactionnelle, au nom de la communauté tout entière, proposait d'ajouter le jour du mariage, prévu pour la fin de l'année laïque, au calendrier des fêtes traditionnelles, entre Rosh Hashana et Pessah, l'anniversaire du doyen étant déjà l'occasion de grandes festivités avec ballets d'enfants, défilé des brigades de pompiers, haie d'honneur de la police juive et discours de longue vie de chacune des personnalités officielles à sa dévotion.

En habits de ville du meilleur goût, impeccable des pieds à la tête, son chapeau melon laissant échapper d'épaisses mèches blanches, Chaïm Rumkowski venait justement de quitter les bureaux de la Gettoverwaltung et se dirigeait vers sa calèche qu'un voiturier en livrée beige maintenait à une distance raisonnable des soldats en poste dans leurs guérites. Malgré les insultes et les gifles qu'il lui prodiguait à l'improviste par espèce de jeu, Hans Biebow s'était montré fort compréhensif et lui avait promis d'augmenter d'au moins dix tonnes les livraisons hebdomadaires de pommes de terre, quitte à Warszawski et Neftalin, les administrateurs de l'industrie textile, de doubler la fabrication des sous-vêtements militaires. Avant de prendre congé, il lui avait aussi donné une nouvelle fois l'assurance que les supplétifs polonais engagés par la Kommandantur pour surveiller la clôture cesseraient d'abattre à leur gré les Juifs à portée de tir.

— En route pour ma conférence! lança Rumkowski à son cocher. Et par les grandes rues pour qu'on le sache...

L'équipage du doyen provoquait des mouvements variés dans l'enceinte du ghetto. La foule s'écartait mollement au passage de l'unique voiture hippomobile encore visible – mis à part les fourgons d'arrivage à l'entrée principale et sans parler des engins motorisés de la Gestapo –, l'acclamait avec des accents railleurs ou gardait un silence circonspect. Rumkowski était attendu place Baluty, au carrefour des trois zones. Crédules et sceptiques s'y rendaient volontiers par souci d'information ou pour se distraire de la grisaille et de la faim. Celui qu'on surnommait le roi Chaïm avait pris goût aux longs discours vindicatifs dans le style mussolinien. Les larges responsabilités qu'il s'était peu à peu octroyées avec l'appui des hautes instances de la Schutzstaffel faisaient de lui la seule autorité de cette enclave laborieuse dans la voïvodie germanisée de Lodz où toute aide aux Juifs était punie de mort. Ces masses de gens qui le fêtaient à grands gestes, dans les rues désolées du ghetto, ces mères de famille et ces délicieux enfants, attendaient de lui assistance et protection. Campé sur la banquette de sa calèche, il leur rendait leurs saluts des deux bras. Mais des traîtres se cachaient parmi eux, anarchistes sans foi ni loi, fortes têtes des mouvements de jeunesse sioniste, socialistes antisionistes et internationalistes du Bund, tous les prétendus résistants et autres fauteurs de trouble. Ses services de surveillance partout actifs lui avaient permis d'en livrer plus d'un à la Kriminalpolizei. Dans un monde en guerre, seul compte la survie du plus grand nombre : c'était sa philosophie.

Malgré le froid qu'un vent vif aiguisait, on se bousculait aux alentours de la place Baluty et jusque dans l'ancien square dont on avait récemment coupé les arbres afin de ravitailler les fourneaux des teintureries et descellé les grilles en fonte pour un recyclage en usine. Une estrade avait été installée devant un centre postal transformé en atelier de filature. Deux employés du Judenrat achevaient de brancher un matériel de sonorisation fourni par Hans Biebow, lequel prétendait l'avoir obtenu du Ministère de l'Éducation du peuple et de la Propagande du Reich. Le microphone Philips débaptisé aurait même servi aux grands discours du Palais des Sports de Berlin. Dans sa soif de légitimité, en élu conjoncturel d'une farce tragique, le roi Chaïm était partagé entre son obédience aux vainqueurs et une inclination exacerbée pour la solennité et les apparats du pouvoir. Monté sur l'estrade, il considéra l'assistance avec un air de ferveur mêlé de bienveillance avant de prendre la parole sur un mode théâtral.

— Je déclare solennellement ici, en présence de cette assemblée et au nom du peuple du Ghetto Litzmannstadt, que j'assume à moi seul la responsabilité politique, morale et historique...

Mais il n'acheva pas sa période, assourdi par un effet larsen, et se tourna un peu déstabilisé vers le technicien qui vint aussitôt régler la distance du microphone.

À proximité de la tribune, son Leica 250 monté sur le trépied télescopique, Henryk Ross regrettait de n'avoir pu se procurer une caméra au bureau de la communication et des statistiques de la Gettoverwaltung. *Ach nein !* lui avait soufflé un agent de liaison, *Kein Film für Napaloni !* Restaient les pellicules photo de l'état civil dont il détournait une partie grâce au compartimentage de chaque prise de vue en six ou neuf portraits d'identité avant développement des négatifs. De même conserverait-il dans sa collection particulière ses meilleurs clichés, assurément les moins exploitables par la cour du roi Chaïm. Habile postulant au-devant de la scène, harnaché en privé d'un lourd collier d'argent avec bouclier de David du même métal en suspensoir sur sa robe de chambre royale, ce second rôle encombrant illustrait à ses yeux tous les travers de la servilité arrogante. Vieux grison corpulent, l'air immensément satisfait de sa personne entre deux coups d'œil craintifs vers les si proches confins de sa conscience, une mise soignée de rabbi de cimetière enrichi par on ne sait quelle manne en petite monnaie, le personnage lui faisait penser tour à tour à la doublure d'opérette d'un Philippe Pétain en *marszalek* levantin ou à quelque pseudo-Falstaff sentencieux.

Le public encore distrait aux premiers mots s'était tu, redoutant davantage le silence du tribun que ses tonnerres étudiés. Celui-ci se rapprocha enfin du micro et, presque en confidence, pointant sa dextre vers les sombres nuées, il s'écria :

— Le travail ! Le travail ! *Unser einziger Weg ist Arbeit !*

Au moment de saisir la scène d'un déclic, Henryk aperçut le gamin en redingote de soldat de parade à qui il avait lancé une pomme. Planté à quelques mètres, apparemment aussi seul dans cette foule que parmi les ruines de la synagogue, ce dernier l'observait d'une mine attentive, comme un chat qui se souvient. Le photographe lui fit signe d'approcher mais n'eut en réponse qu'un vague sourire. Jan-Matheusza aussitôt parut se noyer dans un mur ondoyant de linges et de visages.

— Oui, le travail nous libérera, reprit l'orateur arborant son étoile jaune en insigne de majesté entre cravate et pochette de soie. Mais pour cela il faut m'obéir ! La survie de notre communauté est à ce prix ! Nous bâtirons ensemble une cité ouvrière modèle, une ville-usine que toute la Pologne nous enviera. Qu'y puis-je s'il nous faut satisfaire l'Allemagne dominatrice pour obtenir le simple droit de vivre ? Nous créerons une République juive exemplaire forte de dizaines de milliers de travailleuses et de travailleurs tous dévoués et la plupart hautement qualifiés. Le Reichsführer, Herr Heinrich Himmler, m'a promis de venir en délégation visiter les plus compétitives de nos manufactures. À ce jour, nos filatures lainières et cotonnières produisent des milliers de rouleaux d'étoffe de qualité supérieure tandis qu'une bonne centaine d'ateliers communaux œuvrent à la production d'uniformes, de couvertures, de vêtements divers, d'articles de bonneterie, de bottes militaires, de munitions, et j'en passe ! En échange de votre loyauté, moi, Judenälteste du Ghetto Litzmannstadt, je vous ai garanti des soins médicaux pour tous, un enseignement de qualité dans nos nombreux établissements scolaires et, par-dessus tout, en ces temps de pénurie, une saine nourriture quotidienne. Et n'ai-je pas tenu mes promesses, n'avez-vous pas chaque jour de la soupe chaude et du bon pain, même si on nous rationne exagérément les produits laitiers et que la viande disparaît des assiettes ? Ceux qui médisent de moi et de mes proches collaborateurs n'ont sûrement pas idée des sacrifices immenses qu'exige notre combat pacifique dans un monde à feu et à sang où la vie humaine a perdu toute valeur. Sachez bien que je veille sur vous en bon père. Si nous travaillons sans rechigner dix heures par jour comme il se doit, les contrats de partenariat obtenus auprès de l'occupant seront reconduits jusqu'à la fin de cette guerre. Pour faciliter la vie quotidienne, nous allons créer une devise officielle interne grâce à la banque associée au Judenrat. Cette monnaie sera frappée dans un alliage léger orné de nos symboles et portera ma signature. Entre autres innovations, un nouveau journal qui éclairera ma politique intérieure, le *Litzmannstädter Zeitung,* va être distribué à la criée dans les trois zones. Des bonbons et des sucres d'orge seront offerts aux enfants méritants des écoles. Nous ferons aussi imprimer très prochainement des timbres-poste à mon effigie afin que vous puissiez échanger à tout moment un regard de confiance avec votre dévoué protecteur. Mais je vous en conjure, respectez mes arrêtés, ne manifestez pas absurdement pour une gamelle! N'inscrivez aucun slogan irresponsable sur les murs! Ne sortez jamais sans la nouvelle carte d'identité émise par nos services. Ne quittez sous aucun prétexte votre domicile après le couvre-feu. Les rondes de nuit de notre police sont dorénavant escortées d'agents de la Kripo, lesquels ont ordre de tirer sur toute présence suspecte. Comprenez-moi bien, je dois rendre des comptes au Regierungspräsident. C'est lui, Herr Friedrich Uebelhoer, qui gouverne Lodz et la voïvodie, même si tous les pouvoirs sans restrictions m'ont été octroyés dans l'enclave du ghetto. Tant que vous m'obéirez au doigt et à l'œil comme de bons enfants, je conserverai la faveur des Allemands et par conséquent la garantie de votre salut! Que ceux qui auraient des requêtes au sujet des tickets de nourriture ou d'un permis de circuler n'hésitent pas à se présenter hors des heures de travail à mon secrétariat de la rue Dworska. Et n'oubliez jamais : *Unser einziger Weg ist Arbeit!*

24.

Même un moribond rêve dès qu'il s'assoupit, conjectura Adam Poznansky en observant des coulisses les faces émaciées du public impatient qui guettait le moindre frémissement des rideaux délavés du théâtre Fantazyor, le dernier à être subventionné par le doyen du Conseil juif. Intronisé directeur, Poznansky avait parfaitement conscience d'œuvrer au profit d'un mégalomane inculte qui souhaitait distraire son bon peuple dans l'antichambre du néant. Il y avait heureusement d'autres scènes de spectacle au ghetto – mainte salle de concert pour musique de chambre, des amphithéâtres où de doctes conférenciers subjuguaient les étudiants faméliques, de petits théâtres de divertissement, d'autres encore où jouer Molière, Goethe ou Calderón –, la plupart camouflées comme ces synagogues des cours et des greniers où trônent des torahs de papier chiffon calligraphiées par les étudiants des yeshivot. De vieux acteurs resurgis des caveaux de la retraite y interprétaient avec une fébrilité retrouvée le répertoire yiddish. Des klezmorim au crescendo de leur allégresse offraient gratuitement des récitals tandis que d'austères instrumentistes formés au conservatoire de Lodz semblaient jouer à quitte ou double, comme s'ils pouvaient en mourir, la perfection divine des plus beaux quatuors.

Au théâtre Fantazyor, Poznansky défendait indifféremment la farce pathétique ou le drame espiègle, s'arrogeant volontiers plusieurs rôles au gré des distributions. Outre ses prestations de ganache burlesque, la troupe permanente se limitait à la trop belle Rébecca, fille d'un orfèvre abattu aux premiers jours de l'invasion, si foncièrement novice qu'elle interprétait avec un saisissant naturel les vierges sauves ou bafouées ; d'un nain à tout faire débordant d'allégresse, comme jailli du chapeau du Baal Shem Tov et qui s'écriait à bonne école : « Hélas ! Le monde est tout entier plein de mystères grandioses, de lumières formidables, que l'homme se cache à lui-même avec sa petite main. » Sans oublier le père Bolmuche, authentique acteur shakespearien pour le coup, mais rendu fou au sortir d'un pogrom à Lublin où toute sa troupe fut brûlée vive sous un chapiteau de planches et de toiles, de sorte qu'il n'était plus utile à grand-chose, sinon à épouvanter son public lorsque le chaos s'emparait de lui. Quant aux figurants, il y avait affluence ; pour eux le théâtre était une sorte d'annexe de la soupe populaire : on les gratifiait d'une louche pleine après le baisser du rideau. Les participations occasionnelles, dans l'attribution des rôles ou l'accompagnement musical, n'étaient pas rares, en particulier lors de la visite du roi Chaïm qui n'aimait rien tant que les jolis séraphins sur fond de chœurs célestes. Adam Poznansky recevait de lui des liasses de *rumkis*, cette monnaie de singe à l'effigie du tyran imprimée intra-muros, qui lui permettaient au moins de chauffer la scène. Avec injonction de n'en rien dire à la concurrence. « Vous n'avez qu'une oreille et moi qu'une parole », lui lança un jour de relâche son bailleur incapable de taire un bon mot ; ajoutant en coulisse qu'il comptait sur sa discrétion de demi-sourd. Poznansky le méprisait avec déférence. La bêtise impérieuse faisait en sa personne le lit de l'inhuma-nité. Ses grosses mains sur le corps des enfants y laissaient-elles des cicatrices ? Le doyen se prenait pour un mage, un aspirant à la messianité, une sorte de Jacob Frank encagé avec toutes ses plumes, le sauveur de l'espèce yiddish ! Il affichait sans vergogne une espérance butée faite de convoitise et de la plus folle ambition. Le désespoir parfois sauve les vaincus de la déchéance. Inapte au simple doute, Rumkowski promulguait le salut par l'hébétude et la délivrance par la servitude tout en invoquant le nom divin jailli en lettres de feu de la sombre nuée des mondes. Le hasard n'ayant prévu que la moitié de nos actions, comment un pauvre comédien aurait-il pu refuser les *rumkis* dissonants d'un satrape guignolesque par temps de famine ?

C'est le père Bolmuche qui frappa les trois coups avec un tronçon de perche gainé de velours rouge, tradition prétendument acquise chez les goyim : douze petits coups rapides pour invoquer les Apôtres, suivis des trois coups espacés et sonores en révérence à la

Trinité. En fait de tapage rituel, le père Bolmuche savait pertinemment qu'il s'agissait des trois lettres imprononçables de Celui qui se révèlera Être, précédées des douze tribus du Premier Livre à petits coups rapides. Et c'est presque dévotement qu'il frappait le plancher en abattant d'un bras vigoureux son brigadier. Les rideaux s'écartèrent un peu, sur fond de paysage sylvestre peint en fresque, puis se relevèrent de part et d'autre comme les paupières d'un ogre dérangé.

Vêtue d'une robe intemporelle, un foulard retenant la masse sombre de ses cheveux, Rébecca s'avance vers le public et s'exclame :

— Pourquoi devrais-je puiser de l'eau à la fontaine ? Un étranger me guette pour m'enlever à ma famille. Il cherche une vierge pour son maître, une génisse pour l'étable d'un roi...

À cette seconde, soudainement, un bruit de galoches se fait entendre dans le fond de la salle. Quelqu'un entre en catastrophe et se coule entre les sièges. Un instant perturbée, les yeux perdus, Rébecca poursuit son monologue.

— Est-ce le sort des jeunes filles d'être enlevées et conduites au pied d'un trône de douleur, à peine écloses au monde, roses à cent feuilles ou rêves d'or ? Maudit soit l'arracheur de chardons que nos pères honorent en ces jardins. On nous donne la vie, on nous cultive avec de délicates prévenances, sans même nous prévenir du cruel arrachement, des violences et de la mort promise sous les feux étincelants. Je n'ai pas demandé à être la source des outrages et des malédictions. Les ailes impalpables du papillon mesurent-elles les fondations du monde ?

Accroupi dans l'ombre, le cœur noué, Jan-Matheusza a coincé sa casquette par-dessus ses oreilles. Un œil vers l'entrée, l'autre sur la scène, il reprend souffle après sa course d'obstacles à travers les ruelles. Les harengs saurs du Judenrat l'ont poursuivi, matraques hautes, depuis la rue Dworska jusqu'à la rue Lutomierska où il lui semble être parvenu à les semer. Traverser le premier pont de bois d'une zone à l'autre aurait pu lui être fatal, policiers juifs et agents de la Kripo s'y tenant en permanence. Derrière la clôture, sur les miradors, les miliciens n'hésitent pas d'ordinaire à vider leurs chargeurs au moindre trouble, mais sans doute occupés à battre les cartes, un seul d'entre eux a tiré cette fois. Et la balle a sifflé à ses oreilles, blessant au bras un des policiers à étoile près de se saisir de lui. Ainsi a-t-il pu s'enfuir entre les jambes et les coudes des passants affolés et gagner l'une ou l'autre planque. Caves, remises à charrettes, tombeaux, théâtres, palissades de loup maigre, il connaissait tous les endroits où se cacher en catastrophe. La police démontée du roi Chaïm a repéré depuis longtemps le petit tambour sans étoile. En deux ans de ghetto, Jan-Matheusza ne s'est jamais laissé prendre et s'amuserait presque de ces courses-poursuites où il dévale éperdument les rues comme un lièvre entre les haies.

Sur la scène à ce moment, une actrice au bel éclat de nuit étoilée profère des paroles indéchiffrables.

— Oh, oui ! J'étais heureuse, vous ne l'imaginez pas ! En ce temps-là je voulais chanter aussi bien que l'écho des forêts. La nostalgie qui m'étreint ressemble à cette fatigue du ravissement, oui, à du bonheur vieilli...

Dans son dos a surgi une sorte de marionnette musicale accrochée à son violon. Jan-Matheusza est abasourdi. On ne voit aucun fil, pas de main d'ombre. Comment se promène-t-elle ainsi sans montreur ? Elle joue *pizzicato* un air enlevé et bientôt pérore d'une voix suraiguë de volatile.

— Écoutez-la donc ! Le bonheur, la nostalgie ! Mais, ma petite, ces denrées ne se trouvent pas au marché noir ! Il faudrait grimper les suprêmes degrés de l'échelle de Jacob...

Jan-Matheusza ne comprend rien à cette histoire. Trop épuisé, l'esprit confus, il laisse palpiter sous ses paupières les flammes des lampes à acétylène. Le violon grince et enfle, il s'épanouit comme une contrebasse, comme l'armoire sonore du temps. Que sont devenus les époux Zylbermine, Profesor Glusk et le gentil Schmuel ?

— Souffle, feu, eau, poussière ! déclame le nain des cintres.

On a pendu ce matin des jeunes filles au ghetto. Elles sont montées au supplice sans se plaindre. Si maigres, les mains nouées, elles se sont élancées au bout des cordes comme sur une balancelle. Les bourreaux en uniforme regardaient ailleurs. Que fera-t-on d'elles au paradis ?

Shlof, shlof, shlof!
Der tate vet forn in dorf…

Jan-Matheusza ne dort que d'un œil, l'autre est celui d'une mémoire borgne allant et venant à travers songes et masures. Kiti, Kiti, Kiti ! C'était à Lodz, il y a mille ans. Autant de voix perdues l'interrogent. Comment s'appelle ton père ? Et ta mère, comment l'appelait-on ? Il ne se souvient pas. C'était avant les bombes lampeuses de visages et de villes. Mais voilà l'hiver, tout gèle et se fige. Des dentelles de givre voilent les visages des cadavres qu'on mène aux fosses communes. Les tombereaux d'immondices n'empuantissent plus les rues. Les fontaines se couvrent de blanches figures spectrales qu'il faut briser à coups de bêche. « Regardez ! crie une femme. Ce gosse-là n'a pas d'étoile ! » Des vitres de glace tombent et se brisent. Il court dans la boue durcie des chaussées. Moins résistantes que les tulles poudreux des caves, des phalanges de sucre l'effleurent. Il neige formidablement. Les plâtriers du vent ont une consistance de polype ou d'anémone. Leurs visages décharnés jusqu'à l'os se pressent par vagues lentes. Est-il encore en vie lui-même ou plus certainement perdu, égaré dans le blanc sommeil des choses ? Il veut savoir. On doit la vérité aux morts, même s'il est trop tard.

25

En cette année 1941 – après les fêtes de Pessah sans
pain azyme ni sang d'agneau répandu sur les linteaux
des maisons, mais où chacun rêvait de la sortie d'Égypte
et chantait en sourdine le Cantique de la mer –, le
doyen et son Conseil s'engagèrent à visiter toutes les
usines des trois zones. « Quel autre moyen de les
sauver ? » répétait-il aux contremaîtres qui, inflexibles
avec les adultes, se désolaient de contraindre depuis peu
les enfants de moins de douze ans à de pareilles servitudes.

Chaïm Rumkowski se faisait un devoir de vérifier
l'état des métiers dans les filatures et les ateliers de
tissage, mais aussi des dispositifs de finissage pour
les teintures et l'impression, des batteries de machines
à coudre alignées par îlots dans les ateliers d'assemblage, des tours à raboter des cordonneries, des
cuves et des lisseuses dans les tanneries. Il ne négli-
geait pas non plus les savonneries, les manufactures
de jouets, les ateliers de chausses, de casquettes et de
courtepointes, les fabriques de boutons pour uniformes,
de peignes, d'épingles de sûreté. Comment aurait-il
trouvé le temps d'accorder une pareille attention aux

dizaines de milliers d'ouvriers attachés à leur poste de l'aube à la nuit ? Il lui suffisait d'un coup d'œil comme sur le pont d'un navire : tout le monde œuvrait dans la discipline pour éviter le naufrage. La tradition voulait qu'on l'accueillît par un vivat sans déroger à une seule minute de labeur. Il n'appréciait rien tant que cette collective subordination.

Aux heures de répit, poussé par le démon de l'éloquence, Rumkowski improvisait des discours dans les cours ou les cantines des usines. Les ouvriers l'écoutaient tête basse, l'air désolé, dans un silence sans réplique. Certains parfois levaient le front avec au visage un questionnement muet. Qu'espéraient-ils ? Son devoir était de leur inculquer les contraintes d'une économie de survie fondée sur le servage. Il n'exigeait rien moins d'eux qu'un dévouement absolu – au prix d'un pain hebdomadaire d'une ou deux livres, d'un bol de soupe quotidien et de quelques *rumkis* à dépenser parcimonieusement les jours chômés –, pour être libres, pour avoir le droit un jour, peut-être, au retour chez les vivants. Ce sacrifice, cette probe servilité leur épargnaient l'incarcération dans l'une de ses trois prisons pédagogiques, voire l'exclusion de toute communauté avec ses lourdes conséquences. Il ne pouvait sauver toute une ville sans sacrifier les oisifs, les réfractaires, les insoumis. Il lui incombait d'assurer la paix civile, la cohésion des services gérant l'équilibre économique, l'aménagement de nouvelles fabriques, la distribution des compétences, le ravitaillement quotidien des coopératives, et avant tout le maintien des rythmes de production. Depuis sa nomination à la tête du Conseil, il avait recruté des milliers d'adjoints dans la fonction publique, nommé des secrétaires pour les affaires intérieures, l'éducation ou la justice, relancé extraordinairement l'industrie manufacturière grâce à l'appui des dirigeants les plus perspicaces de l'administration nazie. A-t-on jamais vu au monde secteur urbain plus riche en main-d'œuvre qualifiée que le ghetto de Lodz ?

En chemin pour une matelasserie aux limites du ghetto, Henryk Ross se félicitait de son précieux butin de l'avant-veille : quelques rouleaux de pellicule dérobés au studio des cartes d'identité entre deux reportages de propagande. Il était par ailleurs fort soulagé d'avoir pu être dispensé de couvrir la tournée officielle du doyen ce matin-là. Existe-t-il pire épreuve, dans ce genre d'expédition, que d'avoir à endurer les harangues sans fin du despote ! Moins Rumkowski gardait raison et mieux son pouvoir s'ancrait dans cette mer de détresse. Plus il invoquait la liberté, plus celle-ci s'étrécissait. Ça lui évoquait une phrase d'un philosophe anglais : « Appeler *liberté* la possibilité de faire le fou et de se rendre le jouet de la honte et de la misère, n'est-ce pas ravaler un si noble mot ? » Mais Henryk n'en effectuait pas moins sa tâche et son devoir : d'un côté satisfaire la mégalomanie du doyen et les offices d'endoctrinement de ses terribles maîtres, de l'autre accumuler autant qu'il est possible de témoignages photographiques de toute cette abomination. Chaque matin en le voyant partir, sachant les risques de délation, Stefania aurait aimé le dissuader d'accomplir à la dérobée son vrai métier de reporter, mais la nuit venue, après les heures en chambre noire, elle classait avec lui les clichés développés avant de les sceller dans des boîtes en fer-blanc hermétiques qu'il leur faudrait sans doute, par quelque sombre jour, enfouir secrètement en mémoire de l'impensable.

C'est justement à l'extrémité du ghetto, dans cette usine de matelas du quartier Marysin contiguë au nouveau camp pour jeunes Polonais, lui-même adossé à une vaste portion du cimetière voué aux sépultures anonymes, que le doyen du Conseil juif avait choisi d'officier ce même jour. Les housses en toile de coutil renforcées, mises en place dans un cadre mobile muni de tenailles à feutrine, étaient emplies de seaux entiers de fins copeaux de bois que les ouvriers déversaient jusqu'à engorgement. Henryk Ross avait reçu commande d'un reportage sur cet atelier particulièrement productif à destination du journal *Signal* et ce n'était probablement pas une coïncidence si Rumkowski, toujours avide de renommée, y paradait à ce moment. Les photographies furent prises sous bon angle, certaines avec le roi Chaïm en donateur. Quand la visite s'acheva, ce dernier se rendit d'un pas solennel dans la « cour d'honneur » ouverte sur l'extérieur afin de s'adresser au personnel. Peu à peu vint s'y adjoindre une foule musarde de mendiants, de gosses des rues et de fossoyeurs en trêve de gamelle.

Un brusque tumulte se fit entendre du côté du cimetière – on criait des slogans ; presque aussitôt éclatèrent des tirs en rafale. Des corbeaux s'élevèrent en craillant par-dessus l'enclos des fosses communes. Toutes les têtes s'étaient tournées vers le camp des jeunes Polonais rendu au silence. La présence de la police du Judenrat accourue des environs parut calmer les esprits. Après avoir reniflé en vieux renard la qualité de l'air, sa charge de menaces, le doyen prit la parole avec aplomb.

— Le travailleur n'existe que par l'ouvrage accompli, sa persévérance à la tâche et une entière loyauté envers l'administration du Conseil que je préside et dont il reçoit, avec la vie sauve, tous les moyens de subsister. Le cœur humain ne va pas naturellement à l'abnégation, la volonté humaine ne va pas spontanément à la fermeté, à la constance et au courage. Pour y atteindre et afin de s'y fixer, on a besoin d'une vigoureuse et opiniâtre règle. Achevez vos travaux ! À chaque jour sa tâche ! Le travail est la condition vitale de l'homme dans les conditions actuelles, et particulièrement du Juif ! Une nécessité inéluctable nous l'impose en ces temps de barbarie…

Henryk soupirait d'ennui derrière son appareil. En saisissant d'un déclic, avec une attention toute technicienne au motif, l'image des instants qui s'échappent dans la grande dispersion lumineuse, il ne pouvait écarter ces présences alentours, ces visages d'argile craquelée aux regards de cendre, ces mains nues crispées sur l'étoile trop bien cousue ou comme jointes au vide, à l'absence. À côté des hommes de tout âge aguerris aux privations et des femmes jeunes ou vieilles qui avaient banni simagrées et faux-semblants, les têtes d'une bande d'enfants surgirent en bouquet entre les épaules grises. Le photographe reconnut assez vite le gosse sans étoile au milieu des siens, malgré la casquette avachie d'où s'échappait une boucle d'or. Il s'étonnait qu'il se fût approché si près. Une fois déjà, il avait dû faire usage de son passe-droit pour le délivrer des policiers à matraque, lesquels eussent pu être bons bougres sans la crainte d'être surpris à déchoir de leur fonction de chiens de collier. Mais chacun au ghetto s'acclimatait aux périls croissants, ou plutôt s'y adaptait par abandon ou peureuse feintise, n'ayant plus d'autres recours que l'hébétude, ce brouillard de l'esprit qui estompe les assauts incessants d'épouvante, et ce grand souffle d'anéantissement. Comment mettre en garde l'oiselet, si libre au milieu des cages! Henryk se déplaça avec son appareil monté sur trépied, fit mine en chemin de s'arrêter pour prendre un cliché de l'orateur d'un autre point de vue et fut bientôt à proximité. Jan-Matheusza lui souriait parmi ses semblables à casquette et galoches.

—Sauve-toi vite! lui souffla-t-il avec force mimiques qui ne firent que l'amuser davantage.

Tout à sa rhétorique, le doyen porta sur le trublion un regard à la fois offensé et surpris.

—*Arbet makht fray!* répétait-il.

Brusquement, un vent d'orage saturé des remugles des proches fosses communes s'en prit aux chapeaux des officiels. Le tonnerre couvrit la voix du tribun et toute l'eau du ciel fouetta d'un coup l'assemblée vite dispersée aux quatre coins. Henryk Ross était allé s'abriter au plus court sous l'auvent de l'usine, tandis que Rumkowski déjà dans sa calèche se débattait, furieux, avec la capote récalcitrante. Resté seul sous la trombe, il considéra le sombre déferlement des nuages bagués d'éclairs. Ses gardes du corps l'avaient tout bonnement abandonné, plus effrayés de l'orage que de ses colères bibliques. Endurci aux intempéries, le cocher vint tranquillement rabattre le toit de toile. Il reprit les rênes en main et s'écria à l'adresse du cheval : *Iiiaaa! Kik kik kik kik!*

Henryk Ross qui avait suivi des yeux le carrosse tanguant dans le déluge, profita d'une accalmie pour descendre d'un pas prudent la rue où s'écoulait encore la boue grise arrachée à la terre du cimetière. La comédie du roi Chaïm allait-elle contenir longtemps encore cette folle, cette incontrôlable barbarie? Tandis que les esclaves fournissaient avec assiduité l'ennemi en uniformes, literie et produits divers, jouets d'enfant et layette brodée pour les familles, des rumeurs de massacres méthodiques se faisaient entendre à qui tendait l'oreille. Un train siffla du côté des faubourgs. Il s'étonna de discerner si nettement le halètement des boggies et songea à d'anciens voyages, à Varsovie, Prague, Vienne, en ces temps fortunés où les siens ne portaient pas d'étoile avec le mot *Jude* en marque d'infamie et où une carte de presse suffisait au bon accueil, sans avoir à s'acquitter de sa naissance.

26

Si les menaces réitérées d'un transfert au siège de la Kriminalpolizei affectée au ghetto n'eussent été rédhibitoires, l'incarcération dans l'une des trois prisons régies par le Judenrat aurait pu séduire plus d'un forçat des filatures ou de la voirie, malgré la vermine qui pullulait et les punitions corporelles. La privation de liberté n'ôtait pas de grandes latitudes dans l'enfermement général et le bol de soupe y était assuré sans contrainte au labeur.

Couché sur une paillasse, les mains derrière sa nuque tondue, dans l'étroite cabine d'un établissement de bains-douches désaffecté après la mise hors circuit du réseau hydraulique et reconverti en quartier de détention des jeunes mineurs, Jan-Matheusza réfléchissait nuit après nuit à mille questions insolubles. D'où venait cette manie de mettre des prisons et des boîtes dans les prisons et les boîtes, d'enfermer partout les gens, les choses, les animaux ? Pourquoi la faim vous faisait serrer les poings dans les poches ? Par quel mystère les mourants rentraient-il leurs pouces dans leurs paumes ? À quelle fin lui avait-on rasé les cheveux et cousu une étoile jaune sur sa tunique de tambour ?

S'il comptait bien, il aurait douze ans à l'automne. Un léger duvet blond avait poussé sur ses cuisses amaigries. Devenus trop étroits, les beaux souliers offerts par Schmuel Korowicz dans la maison aux vitraux avaient fini par craquer aux entournures. Sa tunique s'était allégée de presque tous ses boutons dorés. Il avait fini par s'y faire avec le temps, mais pourquoi l'avait-on affublé d'un nom de goy ? Le jour de son incarcération, le greffe de la prison, vieil instituteur morfondu, s'en était étonné en le mitraillant de questions, tant en polonais, qu'en allemand et en yiddish. *Jestes zydem ? Bist du Jude ? Bistu a yid ?* Comme s'il avait pu être un délateur ou un espion de la police allemande. Dans la cellule d'attente voisine, un gardien lui avait ordonné de se dévêtir entièrement. L'homme s'était esclaffé en baragouinant un dicton à l'adresse du greffe, quelque chose comme « Ce que voient tes yeux, la bouche ne l'invente pas ». On lui avait rendu ses vêtements, faute de tenues de prisonnier.

Depuis huit jours, Jan-Matheusza croupissait dans sa cabine de douche carrelée en attendant qu'on statue sur son sort. On ne jugeait plus au ghetto les délits mineurs ou quasi-délits, tous les manquements non criminels au respect des lois, aussi incarcérait-on pour marquer le pas, sorte de garde à vue indéfinie avant l'assignation à l'usine ou à l'atelier. Pris en flagrant délit, les soi-disant malfaiteurs, prévaricateurs et terroristes étaient livrés poings liés à la Kripo et généralement abattus au coup par coup dans les vingt-quatre heures derrière les palissades. Ou bien, s'il fallait faire des exemples, mis à mort en réunion dans l'enceinte du ghetto, les uns au spectacle des autres, par pendaison lente afin d'ajouter au martyre. Quant aux schnorrers endurcis, tire-au-flanc, fugitifs et autres délinquants à la petite semaine, il n'y avait qu'une sanction : le travail selon les aptitudes et les qualifications, avec une gradation dans la dureté des tâches – outre d'inéluctables amendes pour qui était encore solvable et diverses pénitences modulables durant l'incarcération.

Ainsi Jan-Matheusza et deux détenus de sa classe d'âge devaient nettoyer trois ou quatre fois par semaine le cloaque où étaient déversées les bannes sanitaires de la prison. Il s'agissait de déplacer des masses d'excréments d'une fosse de ciment aux tombereaux tirés par d'autres captifs. Une douche par chance leur était accordée dans la seule cabine encore alimentée au sortir du bourbier. Pour économiser l'eau, ils devaient la prendre ensemble. Cette promiscuité rapprocha les trois jeunes détenus qui se mirent à chuchoter et à rire malgré les interdits. Et bientôt à rêver d'évasion. Il n'était pas difficile de s'échapper d'une prison de fortune, mais pour aller où ? Nahum, l'aîné du trio, prétendait que la guerre était finie, qu'on les maintenait tous confinés au ghetto pour les exploiter jusqu'à ce que mort s'ensuive. Les Russes et les Allemands avaient pactisé, les Polaks avaient fui les villes et les campagnes, et tout le monde se moquait bien des Juifs. Il connaissait un moyen de s'enfuir par le cimetière. Le mur d'enceinte limitrophe au monde libre n'était pas gardé sur toute sa longueur. On pouvait grimper sur le monument aux victimes des pogroms d'un lointain avant-guerre. Il y avait là une planche qui servait à franchir une allée inondable : hissée sur le monument et accotée au mur, elle permettrait de s'élancer sans crainte de l'autre côté et de prendre la clef des champs. Nahum était bien décidé. Très brun, la peau comme teintée au brou de noix, il avait des traits fins qui contrastaient avec sa vigueur animale. Un soir, en quittant le cloaque, c'est d'un ton résolu qu'il leur déclara : « Je partirai seul si vous avez peur, il faudra seulement m'aider pour la planche. »

La nuit de ce même jour, de retour dans sa cellule à peu près propre, Jan-Matheusza songea plutôt aux paroles obstinées d'Éliezer, l'autre garçon, un fils de Rebbe rétif à toute promesse. Ceux de la Kripo avaient assassiné ses parents et d'autres Craignant-Dieu, à la fin août, lors d'un grand rassemblement dans une école proche de la rue Dremnoska. Pour conjurer le sort et se laver l'âme de toute malice et vilénie, les Juifs pieux s'étaient engagés à fêter par des danses et des chants l'anniversaire de la naissance du Baal Shem Tov, le Maître du Bon Nom, celui qui trouvait l'infini dans la joie des cœurs simples, persuadés que ce faiseur de miracles les protégerait. Dans l'embrasement de l'amour divin, loin des choses de la Terre, même le mal ne pouvait être mauvais en soi...

À presque douze ans, Éliezer semblait avoir ingurgité toute la poussière des livres. Sous la douche, la pâleur laiteuse de son visage se répandait en teintes diaphanes le long d'un corps délicat de fille toujours pudiquement tourné vers la cloison carrelée. Si triste, toujours au bord des larmes, on eût dit qu'il pleurait toute cette eau. Une part d'Éliezer toutefois semblait jubiler tant ses traits s'éclairaient d'un rien, comme un ciel déchiré, mettant à ses lèvres un sourire impénétrable. À la corvée du cloaque où il fallait manier des râteaux et des pelles à charbon trop lourdes, Éliezer se mettait à psalmodier de mystérieuses sentences, des versets sibyllins, des comptines improvisées par manière d'encouragement ou de conjuration, afin de convertir la nausée en euphorie.

Cette fois, invoquant le prophète Isaïe en pleine fange, il s'était exclamé :

— *Qu'ils sont beaux sur la montagne, les pieds du messager qui apporte de bonnes nouvelles !*

Et sans transition, tandis que Nahum le considérait avec une sidération écœurée, il avait mouliné plein d'entrain une ritournelle idiote :

Une petite queue de cerise
Une petite queue de cerise
Et deux noyaux
Et deux noyaux...

Je n'ai plus de friandise
Cerise s'est noyée
Sans queue sans noyau

La mémoire meurtrie, Jan-Matheusza ne cessait maintenant de se la rabâcher, comme si un mécanisme à vide s'était enclenché en lui. Sa geôle, privée de fenêtre, recevait la faible clarté des interstices d'une porte de fer aux jointures faussées par l'humidité. Pour ne pas se pendre au pommeau encroûté de calcaire de la douche, il ressassait quelques ingénuités, ultimes articles de foi d'une enfance abolie. Tout ce qui lui arrivait ne pouvait pas exister vraiment. Ce n'était pas possible. On l'avait trompé dans un rêve, ou alors il s'était lui-même égaré. Chaque matin tout recommence pourtant, tout recommence avec cette envie de vomir; l'enfer est une comptine, un bas-fond excrémentiel. Comment échapper? Comment se défendre de la rage devant l'adversité? Il fallait retrouver le bon chemin, celui d'où l'on ne revient guère. N'est-ce pas en rêvant qu'on sort d'un mauvais rêve? Les chevaux ailés du Baal Shem Tov l'emporteraient jusqu'aux étoiles à la vitesse de l'éclair.

> *Une petite queue de cerise*
> *Une petite queue de cerise*
> *Et deux noyaux*
> *Et deux noyaux...*

L'automne sur la lande rousse, les forêts de trembles qui sèment à tous vents une monnaie pâle, la petite grand-mère solitaire portant son fagot dans le sentier, les biches, les sangliers qu'on voit courir en lisière, le ciel si vaste, les peupliers d'argent, les nuages d'or à l'horizon, et les oiseaux criant dans la lumière, le faucon crécerelle et l'alouette immobile au zénith, le souffle puissant de la nuit sur les têtes nues des enfants… Tout à coup, au revers du sommeil, monta un chant d'homme. Jan-Matheusza, paupières closes, crut distinguer les bénédictions matinales. Le hazzan de la vieille synagogue aurait-il été emprisonné ? On cogna à sa porte à ce moment. Le gardien avait cette habitude avant d'ouvrir. C'était un géant osseux aux grandes mains embarrassées qui, à force de se plier en deux, gardait une posture de bossu. Toujours courbé par crainte de perdre sa casquette ou de se cogner le crâne, il se déplaçait avec un air de révérence ou de supplication.

— Debout, mon gars ! lança-t-il le plus gaiement qu'il put en sortant de sa poche un gros croûton de pain. Tiens, c'est pour toi ! Mais faudra te débarbouiller…

Jan-Matheusza attrapa le quignon au vol, étonné des égards du bonhomme. Il eut vers lui un regard farouche.

— T'inquiète pas, dit le gardien. Tu vas passer demain au tribunal du travail, c'est pas méchant. On va t'orienter dans une fabrique. Si tu sais coudre à la machine, ce sera un atelier d'assemblage. Si tu sais tailler le bois, on t'enverra chez le sabotier, si tu n'as rien appris, tu feras le manœuvre à l'usine…

L'enfant mordit le croûton avec avidité, songeant qu'il savait très bien sculpter les têtes de pantin et coudre leurs habits, mais pas question d'aller chez le sabotier ou à l'atelier de couture. Il devait retourner au plus tôt chez Maître Azoï, rue Starozikawzka. On ne doit pas abandonner les marionnettes et les chats dans la nuit.

— Un conseil, garde l'étoile bien cousue sur le dos et la poitrine. Comporte-toi en bon garçon. Travaille si on te le demande... Les gens comme nous savons des choses. On abat les Juifs sans distinction dans d'autres ghettos, dans les campagnes, des familles entières ! Il paraît même qu'un camp tout spécial vient d'être construit à Chelmno nad Nerem, un village pas loin d'ici. Sois prudent, baisse la tête. On tue même les gosses qui désobéissent...

27.

Nahum, Éliezer et Jan-Matheusza s'étaient évadés le plus simplement du monde en fin de journée, juste après la douche. Le meneur avait remarqué une fenêtre sans barreaux ni autre protection dans le couloir du rez-de-chaussée qu'ils empruntaient désormais seuls en rentrant, avec la confiance des geôliers. Un escalier menait aux galeries de cabines de l'étage où leur gardien les attendait posément. La fenêtre sans barreaux donnait sur un étroit passage jonché de détritus le long d'un hangar, avec d'un côté une porte de fer hérissée de barbelés et de l'autre un simple muret qu'Éliezer et Jan-Matheusza franchirent à la courte échelle et leur aîné à la force des poignets.

Il y avait encore foule dans les rues à moins d'une heure du couvre-feu. Les masses d'ouvriers rompus de fatigue et affamés affluaient vers les logis où l'on s'entassait souvent à six ou sept par chambre. Beaucoup faisaient la queue au seuil des magasins de rationnement accessibles aux seuls travailleurs, tandis que des cortèges de mendiants en haillons titubaient à contre-courant, aphasiques, les yeux exorbités, arborant un bol de fer ou une gamelle. Parmi eux, des enfants de tous âges déambulaient en tribus errantes, les plus petits à la traîne. Il fallait coûte que coûte se nourrir et trouver un asile, terrier ou tanière, avant les frimas de la nuit. Tous feux éteints, un nouvel hiver menace à peine moins que la guerre le peuple des dessaisis, des rançonnés, des dépouillés à bout de force.

Au milieu de ces multitudes traversées d'un frisson de panique, comme dans l'imminence d'un mitraillage ou d'un bombardement, les trois évadés se sentirent presque en sécurité et ralentirent le pas après une course syncopée de lièvre en alerte pour esquiver d'éventuels poursuivants ou prévenir la perspicacité des indicateurs et des policiers. Si la prudence eût requis qu'ils se séparent, le réconfort d'être ensemble prévalut. C'était pour Jan-Matheusza un sentiment neuf que d'extravaguer ainsi au coude à coude avec ses compagnons d'égarement comme si, par jeu hardi ou pur hasard, s'offrait une chance de se faufiler entre le chaos du monde et son désert intérieur. Nahum avait recommandé la veille de se remplir les poches des résidus de victuailles mis de côté pour le grand jour, assurant ses acolytes que la nourriture abonderait dès qu'ils auraient atteint les bois de Karowleski : noisettes, framboises sauvages et champignons ! En attendant de rejoindre les Juifs et les Roms réfugiés par centaines au fond des épaisses forêts de la voïvodie ou de s'engager dans le maquis avec les bundistes ou des goyim d'honneur.

D'une rue à l'autre et à travers les places encombrées, Jan-Matheusza et Éliezer suivaient le pas énergique de leur aîné sans véritable conviction, par la seule persuasion du jeu, comme lorsqu'on part en exploration ou à la chasse aux fauves. C'est ainsi qu'ils abordèrent le cimetière de Marysin après l'heure d'une fermeture sans cesse différée par de nouveaux convois. La malnutrition, les épidémies de typhus et de dysenterie, les exécutions sommaires et autres homicides ne cessaient d'accroître quotidiennement le nombre des décès au ghetto. S'il rendait les environs peu sûrs, le trafic incessant de convoyages de dépouilles à destination des tombes individuelles fraîchement creusées ou vers les nouvelles tranchées de fosses communes du carré mitoyen, permettait de s'introduire sans effort à l'intérieur de l'enceinte. Les inhumations se raréfiaient dans les divisions allouées aux concessions. Gardiens et fossoyeurs étaient davantage accaparés par l'aire des charniers peuplée de corbeaux. Une pelleteuse tonitruante y assistait les équipes de terrassiers, employés communaux ou simples chalands raflés par la police, afin d'excaver la terre de douves démesurées où aligner les cadavres ensachés dans des hardes.

La petite bande profita de la pénombre et, tête baissée, courut par les allées en file indienne entre de hautes bornes de pierre gravées de lettres hébraïques et des buissons de broches rouillées soutenant de fragiles répliques des tables de la loi en schiste blanc délité par l'usure. Les trois gamins ne furent pas longs à atteindre le rempart en limite du ghetto. Rasséréné par le calme crépusculaire des lieux, Nahum fit signe aux autres de garder le silence.

— On ne sait jamais, souffla-t-il, une patrouille pourrait se balader juste de l'autre côté. Quand on sera loin, vous verrez, plus de guerre, plus de garde-chiourmes. On sera enfin libres, libres !

Parvenu devant le monument aux morts parallèle au mur, il dégagea d'un tas de ronces la planche à usage de passerelle et la dressa contre la stèle.

— Maintenant, dit-il, à nous la liberté ! On grimpe là-haut l'un après l'autre, j'installe le pont de la victoire, et on n'a plus qu'à le traverser et à sauter derrière cette muraille ! Faut pas vous dégonfler, hein, les gars ?

Dans un état second depuis l'évasion de la prison, Éliezer acquiesçait à tout sans comprendre ce qui lui arrivait. Incapable de prononcer un mot, il obtempérait en automate, par contrecoup plus que par obéissance. De son côté, Jan-Matheusza n'avait aucune idée de l'aventure. Lui aussi se laissait guider par la consigne du *faire semblant;* on ne pouvait se dérober à la règle, du moins avant « pouce ». Leur mentor avait l'assurance qui convient au jeu du loup ou de colin-maillard. C'était forcément *pour de rire*, impossible d'être mauvais perdant. Déjà il escaladait le monument. Le bas-relief décorant sa façade avait assez d'anfractuosités et de saillies pour s'y hisser sans mal. Parvenu au sommet, Nahum tira à lui la planche qu'il rabattit aussitôt sur le faîte du mur d'enceinte. À son tour, comme un agnelet qu'on pousse à la tonte, Éliezer s'engagea dans l'escalade. Il vacilla mais tint bon, grelottant d'épuisement, poussé par l'un puis rattrapé par l'autre. Quand tous trois furent réunis sur le rebord, prêts à passer le pont, une lune pâle leva son œil sur les étendues funèbres. Le grondement d'un train de marchandise résonna dans la nuit. Soudain loquace, Éliezer prétendit entendre des voix.

— Quelqu'un a dit « que son Nom soit grandi et sanctifié »…

— Es-tu fou ! souffla vivement Nahum. C'est le vent…

Le visage radieux, ce dernier s'engagea avec aplomb sur la planche et somma à mi-chemin ses compagnons d'attendre qu'il eût sauté le rempart.

— Il faudra vous suspendre par les bras, je vous recevrai d'en bas.

Sa silhouette en fil de fer avança dans le contre-jour lunaire. Jan-Matheusza la vit se délier comme la figurine articulée d'un théâtre d'ombres. Mais des cris rageurs fusèrent à ce moment.

— *Hier, ein Schwein Jude ! Feuer frei !*

Avant même que Nahum eût pu réagir, une rafale de fusil-mitrailleur cloua sur lui des étincelles et il parut danser un instant. Dans la contorsion de la chute, ses pieds repoussèrent l'extrémité de la planche, laquelle alla voler parmi les tombes tandis qu'il s'écrasait de l'autre côté dans un bruit mat à peine audible.

Affolés, ses deux comparses s'écorchèrent mains et genoux sur la stèle en se précipitant pour redescendre. Assurés du pire, le cœur battant à se rompre, c'est sans voix qu'ils s'enfoncèrent dans la pénombre du cimetière. Jan-Matheusza courait aveuglément, la mort dans les yeux, s'oubliant lui-même face aux signes épars et convergents, infiniment attentif à tout ce qui l'assaillait, ces minuscules perceptions tangibles, le vent rétif et, par bouffées, l'odeur des charniers proches, la grimace de la lune, les bruits concertés – abois, coups de sifflet, grognements humains –, les pulsations du sang aux tempes, le crissement distinct de chaque gravier sous les galoches, la courbure fatale des choses et les forces énormes, incontrôlables, de la nuit, au creux le plus obscur de l'âme. Éliezer derrière lui haletait et sanglotait tout en ânonnant des bribes du kaddish.

Aux abords du cimetière, accourus des postes de surveillance, une escouade de la Kriminalpolizei croisait ici et là les faisceaux de ses torches. La gueule basse au bout des chaînes, les chiens policiers aux allures de loups peints conspuaient les ténèbres comme redoublées par les nuées de freux et d'étourneaux dérangés. Jan-Matheusza saisit la main d'Éliezer et hâta leur course. Il fallait au plus vite se cacher et faire le mort parmi les morts. Quand l'autel renversé de la panique se change en feu dévorant, il y a toujours un trou propice, une petite porte de fer qui grince et s'ouvre quelque part…

Dans le caveau du mausolée Poznansky, à l'abri des tueurs, la voix d'oiseau d'Éliezer tremblotait avec la flammèche d'un bout de cierge.

— *Puisse Son grand Nom être béni à jamais et dans tous les temps des mondes. Béni et loué et glorifié et exalté,*

*et élevé et vénéré et élevé et loué soit le Nom du Saint
Transcendant, béni soit-Il…*

— C'est fini ! Fini ! dit Jan-Matheusza.

Le froid est supportable dans la crypte. Il y a un tas
de cartons bien secs pour s'allonger et de vieux
journaux pour se couvrir. Jan-Matheusza souffle sur
la flamme et constate que le clair de lune se diffuse en
fines lances par les interstices verticaux. Hormis le
vertige de la terreur, le désarroi, la peine immense,
ce qui vient de se produire en lui n'a pas de nom
connu. Nahum mitraillé sous leurs yeux est encore en
vie. Même scié de plomb, le cœur éclaté, une balle
dans la nuque, on ne meurt pas d'un coup. Il faut
laisser l'heure mauvaise se rassasier de tout le sang des
sols putréfiés, de la terrible ressemblance des faces
noircies, des lettres de feu qui fument sur la peau
tandis que retentissent les trompettes lointaines.

Dans un demi-sommeil, fiévreux et délirant,
Éliezer s'est blotti contre le survivant, au plus près
de la chaleur vivante.

— Que Dieu aide Azraïl, murmure-t-il d'une voix
expirante. Que Dieu aide l'ange de la mort sans intention ni volonté…

— C'est fini, répète calmement Jan-Matheusza à
son oreille. Demain, avant le jour, on sortira d'ici.

28

Gauleiter du Reichsgau Wartheland, Arthur Greiser oubliait volontiers la hiérarchie en bonne compagnie, une ou deux fois l'an, avec les héros indemnes de la Luftstreitkräfte ou les vétérans des corps francs par exemple, en souvenir de l'écrasement de la vermine spartakiste, et même avec les noblaillons à sa botte, lorsqu'il présidait, il n'y a pas si longtemps, le Sénat de la ville libre de Dantzig. Appartenir à ce *petit nombre d'âmes d'élite* avait cela de réconfortant. Pendant que les parvenus de la Gestapo, comme cette brute d'Obergruppenführer Wilhelm Koppe, perdaient un temps précieux à entraver le bon fonctionnement des pouvoirs légitimes, on se retrouvait en confiance entre soi. Certes, l'aimable Hans Biebow, irréprochable échantillon de race aryenne tout à fait approprié pour le programme Lebensborn, n'était somme toute qu'un homme d'affaires reconverti dans le pillage des avoirs sémitiques ; il n'en manifestait pas moins un sens diplomatique du partage qui lui faisait honneur. Et les alcools millésimés dont il oignait les laborieuses réunions bimensuelles de travail dans les sinistres locaux de la

Gettoverwaltung témoignaient d'un réel sens de l'accueil.

Par-dessus une masse de documents accumulés sur la table de la salle de réunion où tous deux se retrouvaient en tête à tête, Hans Biebow justement levait son verre.

— Grâce à l'intendance incroyablement efficace de cette fripouille de Rumkowski, la production du ghetto a quasiment doublé cette année, elle triplera probablement l'an prochain si l'on garde assez de Juifs valides dans les usines.

— Vous ne l'ignorez pas, *mein lieber Freund*, répliqua Greiser, notre objectif final est leur destruction. Ici comme ailleurs, l'opération Reinhard prime! Combien de temps le Ghetto Litzmannstadt pourra-t-il bénéficier d'un régime de faveur? Les directives du Reich sont claires. On a euthanasié les handicapés mentaux du Warthegau et liquidé par la même occasion tous les villages juifs des environs de sorte à ne pas grossir davantage la population du ghetto. L'efficacité des camions à gaz est assez convaincante. Pour fonctionner rentablement, le camp de Chelmno n'attend plus qu'une bonne organisation, depuis la sélection jusqu'au convoyage…

— Pour la rentabilité, Gauleiter, ces chiffres parlent d'eux-mêmes! lança Biebow d'un geste ample qui fit gicler quelques gouttes de son verre de schnaps sur les documents étalés devant lui. Jetez un coup d'œil sur ces programmes de productivité dans la fabrication des munitions, l'industrie du papier, les manufactures de cordonnerie et de bonneterie. Et les chapeaux dont raffolent nos Berlinoises! Rumkowski a remis sur pied et généré quantité d'entreprises. On a agrandi les usines, importé des machines-outils et des métiers à tisser de toute la voïvodie, fourni des pièces de rechange, des postes de soudure. Vous savez bien que nous manquons de bras en Allemagne, ou alors ce sont les bras cassés du travail obligatoire! L'économie de guerre manque de complexes industriels performants comme le nôtre. Ces Juifs de Lodz comptent des milliers d'ouvriers émérites qui n'ont besoin que de nourriture et d'un peu de sommeil. Et leurs salaires sont versés avec de l'argent postiche, comme dans ces jeux d'appropriation foncière inventés par les Anglo-Saxons, vous savez, Brer Fox an' Brer Rabbit ou Monopoly! Chez nous on l'appelle *Juden Raus*! Le principe est de suivre un parcours de commerces juifs et de s'en emparer en lançant les dés…

— Comment? fit mine de s'ébahir Arthur Greiser. Dois-je entendre que vous rémunérez les Juifs?

— C'est dérisoire! Le Judenrat s'en charge avec sa monnaie privée.

— Il faudra abroger ces salaires au plus tôt! On rétribuera cette vermine en jours de survie. Et ce sera assez cher payé!

Pour surseoir à la discussion, Hans Biebow emplit de nouveau les verres et mit un peu d'ordre dans ses dossiers. Il prit distraitement une cigarette dans l'étui d'argent qu'on lui tendait.

— Les conditions de vie dans le ghetto sont difficilement compatibles avec une saine gestion des affaires, les maladies sévissent, le typhus, le choléra. Vous savez que Rumkowski, vaillant spécimen de l'ancien Conseil juif liquidé par la Gestapo, a de bonnes raisons d'être satisfait de sa nomination...

— Il ne nous aime pas! l'interrompit Greiser. Son seul objectif est d'empêcher les rafles et les déportations vers nos *Konzentrationslager*.

— Peu importe, insista Biebow, tant qu'il est utile au Reich. L'homme travaille pour notre victoire, malgré les gifles et les coups de pied au cul que nous lui dispensons quand il s'obstine au bureau des réclamations. On a besoin de ses bottes et de ses chaussettes molletonnées sur le front russe! Mais il faut qu'il puisse alimenter raisonnablement ses ouvriers et leurs familles. C'est la famine dans le ghetto. Nos intermédiaires ont une fâcheuse propension au trafic. On détourne les denrées. Des centaines de tonnes de choux noirs et de betteraves n'ont pas été livrées comme prévu...

— Eh bien laissez les Juifs mourir de faim! Il en restera toujours assez pour faire tourner les usines en attendant la victoire totale. Une fois ces rats anéantis, nous nous occuperons plus sérieusement des Polonais. Vous connaissez l'ordre de planification de la Schutzstaffel : déjudaïsation, déchristianisation, colonisation! De Wilno à Stanislawow, depuis la rupture du Pacte, nous avons reconquis tous les territoires occupés par les Soviétiques. La défunte Pologne sera un jour exclusivement peuplée d'Allemands. Pour le reste, voyez avec votre *Finanzleiter*, s'il trouve le temps de s'occuper de sa comptabilité depuis qu'il se prend pour Fritz Lang!

— Walter Genewein fait de son mieux. Comme moi-même, il est sous votre juridiction, et je peux vous garantir qu'il facture avec précision les gains que le Ghetto Litzmannstadt nous procure par le travail forcé et les biens confisqués. Tout ce qui entre et sort du ghetto passe par ses registres. Connaissant son aimable *hobby*, nos services de propagande l'ont chargé de filmer les événements, la visite de courtoisie du Reichsführer Heinrich Himmler au mois de juin par exemple...

— Allons! Je suis au courant, ne le défendez pas. Nous sommes tous les trois logés à la même enseigne, mais il faudra bien un jour en finir avec cette peste judaïque...

— Cette « vermine de la race humaine », Gauleiter!

— Vous avez raison, *mein Freund*. Avez-vous lu ce bon Jean de La Fontaine? *Ein französischer Dichter*: « Ils ne mouraient pas tous, mais tous étaient frappés... »

Un air de violon montait de la place Baluty, vite dominé par une voix nasillarde de ténorino. Les deux hommes échangèrent un rapide regard où la surprise amusée l'emportait sur le courroux. Depuis les fenêtres, à l'étage du siège de la Gettoverwaltung, ils purent assister au rare spectacle d'une foule en liesse autour de saltimbanques.

— *Unglaublich!* s'écria Greiser. Ces Juifs s'amusent?

— C'est leur jour de l'an, je crois, l'année cinq mille et quelques…

— Mais c'est intolérable! De qui se moquent-ils?

— Pas de nous, Gauleiter, pas de nous! Ils se moquent du crapaud Rumkowski qui voudrait se faire plus gros que le taureau allemand. N'est-ce pas *eine fabel von* Jean de La Fontaine?

— Le rire même enchaîné prépare la sédition. Faites dégager la place au plus vite!

Dehors, la milice juive se distrayait plutôt des roucoulades railleuses du chansonnier et n'envisageait d'intervenir qu'en cas de bousculade. Yankele Hershkowitz était connu et apprécié de tous au ghetto, hormis du roi Chaïm et de sa courtisanerie. À ses côtés, squelette terreux, le violoniste Karol Rosenzweig jouait *spiccato* entre deux glissando pathétiques avec toute la verve des klezmorim. Après avoir chanté une prière pour les Jours Solennels dans un relatif silence, le chansonnier avait changé de registre, réveillant l'hilarité et la colère de la foule avec les couplets satiriques de *S'iz kaydankes keytn* relatant la chronique du ghetto. Autour de lui, les gens s'agglutinaient, ouvriers désentravés, mères de famille ou schnorrers, par cette force attractive de la musique qui éloigne les craintes et dissipe illusoirement la faim. Il y eut une acclamation lorsque Yankele, après *Chaînes et manilles*, entama sa chanson fétiche : *Longue vie au Président Chaïm!* Il savait bien que la police du Judenrat n'entrerait en action qu'au tout dernier moment, quand les espions du doyen auraient manifesté leur impatience. Il avait d'ailleurs choisi la place Baluty où siégeait la Gettoverwaltung par manière de provocation expérimentale, assuré que les miliciens juifs n'oseraient pas intervenir sous le nez des Allemands, mais au risque de voir ceux-ci lancer sur lui leurs chiens. L'archet de Rosenzweig repartit de plus belle sur son trésor de violon, un vieux modèle Camillo Camilli en bois de poirier qu'il avait prudemment contribué à se ternir et à se dégrader. La voix du chansonnier prit un accent burlesque :

> *Rumkowski Chaïm*
> *Tu nous donnes de l'eau*
> *Tu nous donnes du poivre*
> *Tu nous donnes du poison*
> *Tu nous affames*
> *Au ghetto, notre petit ghetto, notre cher ghetto*
> *Toi si navrant et si corrompu, toi qui lèves ton bras*
> *   si haut*

Rassemblés par grappes devant les femmes vieilles ou jeunes, les petits enfants s'esclaffaient sans comprendre. Yankele Hershkowitz, en chantant, ne pouvait s'empêcher de scruter leurs museaux étroits de belette. Tant parmi eux avaient péri depuis le bouclage du ghetto. Mais ils riaient et agitaient leurs petites mains sans comprendre tandis qu'on préparait pour eux des fosses. Est-ce qu'une chanson, quelques minutes de bonheur ou de simple plaisir protègent les joyeux enfants du martyre? Yankele chante et le vieux Rosenzweig agite son archet, ses yeux gris perdus dans les brumes de la mort où errent ses deux filles décapitées.

Rumkowski Chaïm fait des miracles, oy!
Chaque jour il nous vend le ciel, oy! oy! oy!
Tout le monde demande, quels miracles?
Il nous dit: Taisez-vous, c'est très bien comme ça
Parce que notre Chaïm, si vous ne le saviez pas
Il nous donne du son
Il nous donne de l'orge
Il nous donne la manne
Il tient le ghetto par la diète et l'abstinence

Finalement convoquée, une colonne de Waffen-SS s'engagea sur la place au pas de l'oie, fusils d'assaut au poing, davantage pour mettre un terme au désordre qu'à des fins offensives. La foule se dispersa dans la précipitation, entraînant une pagaille de gosses, d'infirmes, de vieillards trop las pour s'émouvoir. Comme on écarte un moucheron, un caporal-chef abattit d'une balle au front un simple d'esprit, rendu insensé par la perte des siens, et qui vint, ricanant, se jeter devant la troupe. Tétanisé par la détonation, avec un air d'intense supplication à l'adresse de Yankele, le violoniste agita de plus belle son archet en reculant à petits pas, tandis que le chansonnier, terrifié mais rieur, s'évertuait à clamer un dernier couplet à la gloire inféconde des suppliciés, avant de faire profil bas.

Rumkowski Chaïm l'a bien compris, oy! oy!
Il nous fait travailler dur jour et nuit
Pour plaire au puissant ennemi
Il tient ses Juifs par la diète et l'abstinence!

29.

La vie artistique restait intense au ghetto. Ne jouait-on pas au nez de l'occupant les pièces de Shalom Anski, du grand Isaac Leib Peretz ou de Cholem Aleikhem ? Faute de marbre et de bois, on façonnait des sculptures dans la pierre des ruines ou l'argile des morts. Certains peintres brossaient sur la même toile une succession de paysages de plus en plus mélancoliques. On continuait d'organiser des concerts à la chandelle, d'imprimer de grêles publications avec des encres qui se fanaient à vue d'œil, de déclamer des épigrammes dans les salons transformés en dortoirs, de projeter de vieux films sauvés du pillage avec une discrétion de nécromants. En matière de qualité, comme partout et toujours, le pire côtoyait le meilleur. Rares étaient ceux qui distinguaient le talent désinvolte de l'imposture tâcheronne, ou le souffle du génie d'un bâillement de goitreux. Des poètes officiels rimaillaient des fadaises à la gloire du roi Chaïm tandis qu'un Isaïe Spiegel transmuait la souffrance en mémoire, *ultime voyage de tous nos rêves*. Des chanteurs lyriques ravalaient leurs appoggiatures devant des parterres de sourds. Et les fous des rues, l'âme écartelée, rivalisaient parfois honorablement avec les acteurs shakespeariens.

Dans l'orbe dérobé de son dédale, Maître Azoï avait prévenu le quasi-automate Anshel, l'assemblée des marionnettes ainsi que son jeune assistant prêt à prendre la relève : après tant d'années juché derrière son castelet, ce devrait être le dernier de ses spectacles au petit théâtre des Quatre Sabots. Il s'était si profusément épuisé à ganter, emmancher, pendre et dépendre ses marottes, effigies et gnomes articulés dans l'ombre sanglante du siècle. L'amour de l'art pouvait-il remplacer l'amour ? Il s'était résolu à faire des adieux mémorables à son public de sansonnets en cavale, de demi-spectres et de golems somnolents. Les vrais amateurs iraient voir ailleurs. Depuis des mois, il travaillait en secret au chef-d'œuvre de sa vie. Là-haut, cogitant et œuvrant dans son logis très privé des combles que desservait un raide escalier de potence, la fin d'un monde exacerbait son goût renouvelé des catastrophes. Tout ce qui change, prétend-on, reste inconnu. Et ne dit-on pas que le mal est l'usine du mal ? Pour y remédier, il fallait vider Dieu de ses entrailles et mettre en scène des pantins absolus. Maître Azoï s'était de longue date résolu à sauver sa chère famille du chaos et de la putréfaction. Le temps est le pire déluge infligé aux misérables élus ; ainsi de Noé, conçu d'une sirène et d'un ange, auquel le Seigneur ordonna de bâtir une arche et d'y entrer – lui et toute sa maison de peau, de fourrure et de plume –, au prétexte de l'avoir choisi, seul juste parmi les iniques. Cette construction de planches, de bitume et d'étoupe ne pouvait être qu'une informe baraque d'illusions pour la lignée des nephilim, géants nés des filles perdues et des anges tombés. Ils y affronteraient la submersion des secondes, des heures et des jours. Dans l'arche, Noé, roi des naufragés, s'était cru abandonné avant qu'une main céleste sortît des flots diluviens la fine cordelette d'un rameau d'olivier afin que s'y posât, ô combien gracile, la patte d'une colombe, propice à soutenir, à la pointe de ses ailes, le faix d'une nouvelle Genèse.

Sur son injonction, Anshel avait démantelé une immense armoire d'époque, préalablement désemplie de quantité de livres hérités d'un tsadik mort en sainteté. Avec, parmi des centaines, les Sefer Yetsirah et Sefer ha-Zohar, le Sefer ha-Bahir dit de la Clarté ou de l'Éclair, les Talmud de Jérusalem et de Babylone par dizaines de volumes usés et écornés, les commentaires bibliques de Rachi et d'Ibn Ezra, les homélies du Rabbenou Nissim ben Reuben de Barcelone...

À partir des plans dessinés par Maître Azoï, le serviteur aux rares paroles édifia un castelet spacieux comme une scène d'opéra que surplombait, au ras des cintres, une espèce de portique de levage bricolé avec la ferraille du chantier. Ni lui ni Jan-Matheusza n'avaient été avisés de la nature du spectacle en gestation. Aucune répétition sur scène, nulle mise au point des dispositifs d'attache et d'articulation des pantins ; ceux-ci promettant d'être assez difficiles à mouvoir.

Maître Azoï, soupçonnait-on, besognait la nuit à l'étage, dans sa haute tanière interdite aux apprentis, disciples et autres importuns, fût-ce le matou des coulisses dévoreur de rats, musaraignes et souris à cheveux plats.

Quelques jours avant la première, face au public effaré, il avait simplement déclaré la fin d'un monde.

— Ce sera la moisson de l'éternité après deux années de répétition, deux années entières malgré la famine et la maladie, depuis que nous assiège Azraïl aux quatre mille ailes, à l'épiderme couvert d'autant de langues et d'yeux qu'il y a sur Terre de mortels. Écoutez-moi, *Zet zhe, kinderlekh*, vous autres, près du fourneau ! Bientôt plus rien n'existera. Tant d'enfants et de jeunes gens partiront en fumée ; ils ont refusé de plier l'échine. Mais je les vois se relever, je vois leurs ombres vivantes. *Oyfn pripetchik brent a fayerl !* Il faut laisser la place à la petite flamme qui scintille et chanter, chanter, la tête dans le fourneau !

> *C'est ainsi que dans la maisonnette*
> *Règnent la joie et l'allégresse*
> *Au cœur même de la misère*
> *On peut trouver le paradis*
> *Ici, l'amour est plus grand,*
> *Plus grand que tout ;*
> *Shtarker iz di libe dort,*
> *Shtarker fun dem dales.*

Non, personne ne comprenait plus Maître Azoï. On dit que les fous contrarient les desseins de Dieu. N'eût-il pas suffi de prier comme font les fleurs des champs qui s'ouvrent et se prosternent?

Cependant Jan-Matheusza prenait à cœur son rôle d'assistant et, grâce au contenu d'un sac de vieux rideaux et de tentures à l'odeur d'incendie trouvé dans la garniture d'un coffre de plomb au fond des caves, il cousait, brodait les vêtements aux mesures des marionnettes. Maître Azoï lui en avait esquissé les patrons avec toutes les cotes en précisant qu'il s'occuperait, *l'heure venue,* de vêtir lui-même ses personnages. Il délirait:

— Car l'heure arrive et elle a déjà commencé! N'êtes-vous pas déjà bannis des synagogues? Voici le temps où quiconque vous fait périr croit rendre un culte au Très-Haut. Mais l'espérance est la plus belle des grâces, accueillez-la même au seuil du tombeau. Si l'on pouvait donner à proportion de ce que l'on reçoit, soyez en sûr, le diable redeviendrait ange!

Inconsolable, des larmes coulant sur l'étoffe aux bordures carbonisées, Jan-Matheusza observe Maître Azoï en se piquant les doigts. Rien ni personne ne viendra les sauver du chaos. Il songe à la danse de mort de Nahum mitraillé par les gestapistes au moment d'enjamber le mur. Il y a bien davantage de périls hors du ghetto. L'ordre a été donné d'abattre sur-le-champ tout Juif isolé. Il se souvient d'Éliezer rattrapé au petit jour par la police du Judenrat. Tous deux venaient de se faufiler hors du cimetière. *Lekh lekha!* lui avait-il crié, tandis que les coups pleuvaient déjà. « Sauve-toi, sauve-toi le plus loin que tu peux ! » *Va-t'en de ton pays, du lieu de ta naissance et de la maison de ton père.* Mais peut-être vit-il encore ? Ce n'est pas l'heure encore de livrer les enfants aux bourreaux.

Les costumes achevés et les décors fin prêts, Maître Azoï s'agite drôlement devant l'espèce de masure ouverte en forme de double potence tout entière ceinte d'une vieille toile rouge, laquelle occupe la scène entière et au-delà. Serait-ce pour célébrer la fête des cabanes ? Mais la *souccah* est bien trop vaste sur ce balcon des rêves.

— Maintenant, dit Maître Azoï, vous allez m'aider à descendre mes chères poupées, mes paillasses tant aimées. Attention, elles n'apprécient pas du tout qu'on les rudoie. Faites en sorte de ne pas briser leurs doigts d'argile dans l'escalier.

Fallait-il que le marionnettiste ait perdu le sens et la raison pour leur ouvrir ses combles ? Monté avec une vive réticence par l'escalier périlleux à la suite du magnanime Anshel, Jan-Matheusza reste un instant aveuglé, là-haut, sur le pas de la porte. C'est comme un éblouissement noir ; il n'a jamais rien vu de tel. Tout ce qui apparaît n'est que lambeaux, puits d'ombre et détritus. De puissantes senteurs d'encaustique, de colle de poisson, d'ambre et de goudron de houille dominent un fond nauséeux d'huiles rancies. Rien nulle part de vraiment discernable, aucun meuble, pas de sièges ou de lit. Des sortes de masques flottants, des poteaux inclinés, des fissures en forme de serpents ; on aurait dit quelque officine de choses ébauchées, défectueuses, un chantier d'apparitions en gésine, comme une maternité de spectres. Une lampe à huile éclaire à peine les profondeurs hantées de silhouettes indécises sous les poutres.

—Les voilà ! s'exclame Maître Azoï. Regardez comme elles sont belles, là, contre le mur ! On va les descendre doucement, l'une après l'autre. Il faut qu'elles s'acclimatent, qu'elles reprennent confiance. Elles ont tout oublié de ce monde où les hommes ne sont plus que des bêtes féroces qui détruisent les corps. Ne vous en faites pas, mes chéries, soyez sans crainte, les corps ne sont qu'un passage superflu de l'âme, rien qu'une émouvante transition !

Au théâtre des Quatre Sabots, c'est le branle-bas précédant les grandes premières, même s'il s'agit d'un bien petit théâtre. Pour les lampes, à ses risques et périls, Jan-Matheusza a trouvé de l'huile de moteur en zone interdite dans un entrepôt de blindés hors d'usage. Il a nourri le poêle à charbon de tout le bois récupéré dans ces maigres carrières que sont les ruines alentour, débris de plancher, esquilles de charpente, fragments de mobilier. Il s'agit de ne pas claquer des dents en soufflant sur ses ongles devant un public de transis.

Mais c'est bientôt l'heure. La veille et dans la nuit, Maître Azoï a installé ses marionnettes sous le portique drapé de la grande armoire avec l'aide d'Anshel. Un système ingénieux de poulies et de filins activé par des poignées de fil de fer enroulé en pelote leur permettra d'évoluer sur une distance de trois à quatre coudées et, sur quelques empans, de mouvoir les bras de bas en haut, également d'agiter la tête en tous sens comme dans la vraie vie.

Le public est au rendez-vous ; il afflue et s'efforce de prendre place en silence. Cependant, très vite, de vilaines toux se répandent, des raclements de gorge, de profonds soupirs. Une odeur de camphre, de moisissure et de vieux draps monte de la salle et se mélange aux hiératiques senteurs de la scène. Le marionnettiste virtuose n'attend plus que le signal d'Anshel, dans l'ivresse d'un couronnement, prêt à rendre vie à ses momies, ses aimées si longtemps assistées et apprêtées après des siècles de soins patients à ne plus savoir distinguer la santé des interminables agonies, ni le sommeil de la rigidité cadavérique.

L'automate a frappé les trois coups. Jan-Matheusza aussitôt empoigne le violon et l'archet dans un recoin des coulisses. Aux Quatre Sabots, il a tout appris, la sculpture sur bois et le modelage des figurines, la danse savante des mains, l'art de plonger sa voix dessous l'épigastre et de la déformer à loisir, la couture et la broderie, la lecture des plus beaux contes, l'écriture en trois langues. Et la musique, la musique qui le désinstruit de tout lorsque lui-même joue, cœur battant, les airs perdus du shtetl, son antique et si brève mémoire pleine du bruissement des grands arbres, des trémolos du hazzan et des aubades d'oiseaux, de l'aurore au crépuscule. Plus rien de tout cela n'existe désormais, ni arbres ni chants d'oiseaux. Parfois, à la fin de l'automne, quelques feuilles mortes portées par le vent viennent se perdre à l'intérieur du ghetto.

Emzara, entrant en scène, provoque une clameur étonnée dans la salle. Si grande et délicate, d'une maigreur de libellule, la face peinte, elle chantonne un quatrain bien connu d'un poète assassiné.

> *Et quand les quatre sabots*
> *Furent quatre résonances*
> *David avec des ciseaux*
> *Coupa les cordes de sa harpe*

Attiré par sa voix mélodieuse, son vieux père Raké El déploie sa haute carcasse, vertèbre sur vertèbre, comme un clown à ressort jailli de sa boîte. Il hoche sa tête chenue coiffée d'un vieux turban.

— Emzara, ma fille, est-il honnête de chanter quand on nous tue ? Pleure, lamente-toi plutôt pour tous nos disparus !

— Mais, père, je ne fais rien de mal ! Toutes les mélodies ne sont-elles pas sacrées ?

— Avoue plutôt que tu es amoureuse ! Quel est l'insolent qui t'a collé une tête de biche ?

À ce moment, entre en scène un Roméo de shtetl aussi efflanqué que ses congénères, le visage couleur de muraille. Raké El le prend vivement à partie au grand désarroi de sa fille.

— C'est donc toi, Eliyahu, notre bouc émissaire ! J'aurais dû m'en douter.

— De quoi parles-tu, Raké El ? Je venais vous avertir que les goyim arrivent en foule des campagnes avec leurs torches et leurs fourches. Il faut fuir au plus vite !

— Un pogrom de saison ! Que faire, a-t-on le choix ? Si les assassins étaient des oies, on les gaverait de grain avant de leur couper le cou… Mais fuir où ? Nous n'avons que nos pauvres jambes.

— Partez en Eretz Israël à travers bois et forêts, Hachem vous guidera. Moi, je les retiendrai comme fit le roi David. Tout mon être dira : « Éternel, qui d'autre que toi pourrait délivrer le malheureux et le pauvre d'un plus fort que lui, prince de Magog, ennemi de Ton Nom ? »

— Oh, mon bon père ! s'écrie Emzara subitement éplorée. Ne laisse pas Eliyahu se faire immoler une nouvelle fois par la postérité cruelle de Salmanazar !

— Mais c'est son rôle de victime expiatoire ! Et puis tout le monde sait bien qu'Eliyahu est immortel. On le lapide, on le pend, on le jette vivant dans le four à briques ; il brûle, il meurt, il agonise, ce n'est pour lui qu'un mauvais moment à passer. N'est-ce pas Eliyahu ?

— Ton père dit vrai, Emzara. On m'a trucidé des centaines de fois depuis mes démêlés avec la reine Jézabel, il y a fort longtemps. Il faut bien que mon immortalité serve à quelque chose dans ce monde.

Allons, partez, partez vite ! Je tremble pour vous. Comment ne pas trembler ? Vous m'oublierez bien vite et moi j'ai l'éternité pour me souvenir…

Le violon à ce moment appuie sur les graves, comme pour se faire aussi gros qu'une octobasse.

— Vous entendez ? murmure Raké El pétrifié d'effroi. Est-ce un violoncelle, une contrebasse ? La contrebasse, chaque fois qu'on en joue, m'évoque une très belle femme étranglée dans son cercueil.

— Ah ! Jézabel, Jézabel ! acquiesce le bouc émissaire. Une bien jolie personne et un si tragique destin !

30.

Les trains ne cessent plus de siffler de jour et de
nuit et les brouillards glacés s'appesantissent sur
Litzmannstadt. Toujours plus féroces, les fins d'automne promettent une dernière bataille aux faméliques et aux dolents. On n'a plus le temps de penser
à la mort quand elle vous traque. Chaque jour devient
une vie à perdre ou à sauver. Pour un quignon de pain
et une louche de soupe, les foules mornes courent dès
l'aube aux ateliers et aux usines. La fièvre et la maladie menacent chacun comme ces brumes. On trépasse
à peine moins dans les hôpitaux et dispensaires du
ghetto que chez l'habitant ou dans les rues fangeuses.
Bien nourris et choyés par des infirmières choisies,
les enfants de l'orphelinat que le doyen assure de sa
protection, ont un sort plus enviable que ceux des
ateliers et des logis surpeuplés. Menacés de fermeture
par les arrêtés du Regierungspräsident, les établissements scolaires demeurent pour les plus jeunes un
refuge où croire aux lendemains. On y mange presque
à sa faim et de vieux érudits chargés de diplômes
distribuent aux petits et aux grands leur savoir comme
une consolation.

Les cheveux dissimulés sous la casquette trop grande, une étoile solidement cousue sur sa tunique de tambour, Jan-Matheusza ne cherche plus à fuir les patrouilles de policiers. Mal chaussés, vêtus d'uniformes négligés, eux portent l'étoile en drôles de shérifs. Il s'étonne de les voir presque honteux, la face dégoûtée, quand on leur ordonne de brandir leurs matraques sur quelque misérable rendu fou, terroriste aux mains vides, piailleur insane, voleur de pommes de terre. Aux abords des sinistres constructions de bois menant d'une zone à l'autre et le long de la double clôture, aux endroits où s'élèvent les miradors, leur mission consiste à éloigner les imprudents et les désespérés, ceux qui menacent de se jeter contre les barbelés. Ordre leur a été donné de se rassembler en nombre aux entrées du ghetto par où transitent les fourgons de victuailles et de matières premières. Une agitation nouvelle attire Jan-Matheusza vers ces portes maudites d'où sont exfiltrés otages et condamnés. Il se demande quand cesseront ces défilés pitoyables de vieillards, d'hommes mortifiés dans leur chair, de femmes déchirées par le deuil et de petits enfants qui se pressent, sans main d'adulte à tenir ; pourquoi, si nombreux, n'engloutissent-ils pas de leur masse les tourmenteurs en uniforme ? Comment se peut-il que rien, personne, ne vienne délivrer ces processions blafardes ? Ni les Chérubins maniant la flamme tournoyante de l'épée à double tranchant, ni le prophète Elihayu qui vainquit une armée d'ensorceleurs avec un peu d'eau.

C'est par la barrière de Marysin, la plus proche des voies ferrées, que des convois de Juifs déportés de Tchécoslovaquie, du Luxembourg ou d'Allemagne sont transférés au Ghetto Litzmannstadt. L'événement a rendu perplexe le Conseil juif et son doyen. Rumkowski se refuse à admettre que son *Industriezentrum*, comme disent les Allemands, puisse être rétrogradé au statut de camp de concentration. Cependant les Juifs étrangers ou même polonais, capturés dans les épaisses forêts où ils s'étaient réfugiés, affluent par milliers depuis la mi-octobre. La police et les services sanitaires les dirigent vers les plus insalubres bâtisses, de ce côté de l'avenue Marysinska. Par cohortes tortueuses enserrées de deux colonnes de Waffen-SS en armes que des escadrons de la police juive semblent devoir relever, les déportés s'enfoncent dans le délabrement des rues, loqueteux et hagards, sans concevoir vers quel abîme de détresse on dirige leurs pas.

En ce premier jour d'hiver, Jan-Matheusza a vu déferler une foule plus dépenaillée encore, mais colorée comme aux parades d'un cirque, où les robes à volants, les foulards et les chapeaux de feutrine à large bord contrastaient avec les pieds nus des vieilles femmes et la crasse des enfants. Les résidents du ghetto qui, comme lui, assistaient d'assez loin à ces défilés, échangèrent des regards incrédules.

— D'où arrivent ceux-là ? marmonna un fossoyeur qui sentait la terre retournée.

— On dirait des Juifs de Bohême, suggéra une

jeune femme aux traits délicats affectée aux travaux de voirie.

— Non, regardez! Ils ne portent pas d'étoile jaune mais un triangle rouge, déclara un jeune homme au sourire peureux qui serrait une serviette pleine de livres contre sa poitrine. Ce sont des gens du voyage, des Sinté.

— Des Tziganes, tu crois, mais pourquoi eux? s'étonna le fossoyeur.

— Ils ont l'air encore plus juif que nous! dit l'étudiant par manière de boutade.

Jan-Matheusza n'attendit pas que les hautes grilles de l'enceinte se referment ou qu'une volée de policiers vienne les déloger. On l'attendait comme chaque jour en d'autres lieux. Plus un monde est clos, plus il se complique et s'entortille. Depuis la disparition de Maître Azoï, la nuit qui suivit la première – et ultime – de son spectacle de marionnettes géantes, Jan-Matheusza avait été confronté à des phénomènes indéchiffrables, des événements sans queue de cerise ni tête de rat. Après toute une semaine à chercher le fil d'un songe brusquement interrompu, c'est avec une certaine appréhension qu'il était allé se présenter au théâtre Fantazyor. Il s'était souvenu de la belle Rébecca, du nain joyeux et des autres acteurs sur la grande scène au décor peint d'un ciel bleu à damner les anges, avec sa loggia en avancée pour les enlèvements galants ou les sérénades et sa colonnade factice au fond d'une sorte de patio ou d'atrium. Jan-Matheusza ne s'y était pas rendu seul. Il avait traversé le ghetto en rasant les murs, une étrange créature sur le dos, ses jambes brinquebalantes maintenues tout contre lui, sa tête encapuchonnée dodelinant par-dessus son épaule. Les passants rompus au malheur l'avaient suivi des yeux avec un reliquat de commisération. Transportait-il un frère malade à l'hôpital, ou le cadavre de sa mère pour la soustraire à la fosse commune?

À l'entrée du théâtre, au fond d'une cour obscure, le père Bolmuche qui pétunait à grandes bouffées du tabac de récupération roulé dans du papier journal, l'avait interpellé, mi-amusé mi-horrifié.

— A *klog iz mir!* Apportes-tu la peste au théâtre?

— Je voudrais voir le directeur.

— *Oy!* Tu m'as tout l'air d'un farceur indigent, ravaleur de miracles, *a nishtikeyt,* fanfaron, tête muette, soupe de betterave!

Une voix de stentor avait alors retenti au fond du hall lui intimant de lâcher prise. Parfaitement respectueux mais la trogne renfrognée, le père Bolmuche s'était écarté avec la dignité d'un huissier de chancellerie devant l'insolite équipage.

Les jours qui suivirent son audition sur la scène du théâtre Fantazyor, Jan-Matheusza s'était cru presque heureux, délivré d'un fardeau considérable, malgré l'effarement de s'être retrouvé face au comédien du mausolée, cet Adam Poznansky si beau parleur qui promenait un regard d'ennui sur toute chose. L'homme avait manifesté un vif amusement et beaucoup d'attention. Sa surprise semblait avoir été entière quand il s'était présenté à lui, son pantin sur le dos, dans la pénombre du hall. L'avait-il reconnu ? « Eh bien, avait-il dit en se grattant la tempe, tu vas tout de suite me montrer ce que tu sais faire ! » Assis dans la salle déserte à l'observer, il s'était tu jusqu'à la fin de l'audition ; son visage pâle, un peu lunaire, n'avait pas cillé. Le jeune marionnettiste seul sur le plateau avait enchaîné les saynètes. Au terme de sa prestation, le directeur s'était tranquillement déplié de son siège pour lui signifier de vive voix sa satisfaction : « Jan-Matheusza, je t'embauche sur-le-champ ! Tu es chez toi au théâtre Fantazyor. Mais il faudra changer de nom... tu devras aussi beaucoup travailler pour affiner tes dons, je dirais même : un surprenant génie sauvage ! Mais le génie exige des efforts effroyables pour la moindre fleur cueillie... »

Les rues du ghetto sont envahies de quémandeurs, mendiants sans plus de force pour tendre la main, vendeurs de hardes ou de bricoles, infirmes d'espèces diverses, solliciteurs d'emploi en tout inaptes. De vieilles personnes ficelées dans leurs haillons trébuchent d'un porche à l'autre, espérant qu'une porte s'ouvre ou qu'un visage s'éclaire. Accroupis contre les murs, des enfants tristes plus mal lotis encore, contemplent leur sébile ou les empreintes sombres du trottoir. Tête baissée, sans les voir, les ouvrières et ouvriers des usines et des manufactures se pressent, eux-mêmes taraudés par la faim et les premières morsures du froid. Partout les gens se croisent et disparaissent au fond des tranchées grises des rues. Parfois Jean-Matheusza capte une parole décousue entre deux plaintes. « Sans crime pas de remords », lance une voix haletante de femme. « Les plus faibles se laissent mourir », assure un vieux prêt à fondre en larmes. « Les faibles n'ont pas les mêmes solutions que les forts », réplique sans conviction un jeune hassid déguisé en civil ; « voilà bien leur problème », ajoute-t-il pour lui-même. Mais la plupart se taisent, les yeux perdus, cherchant l'infime distraction qui sauvera la minute à venir du désespoir, un oiseau égaré, la folle au faux nourrisson qui chantonne, un policier juif à la démarche de Charlot. Tirées à bras d'homme, les carrioles grincent et craquent sur les chaussées défoncées. La pluie a repris son vain brassage de boue et de verre pilé entre ciel et terre. En consolation aux fleuves de larmes ravalées, l'eau du ciel glisse sur les visages. Certains lèvent les yeux, craignant qu'au vent froid la pluie ne se transforme en neige ou en aiguilles de glace.

Jan-Matheusza voudrait oublier chaque jour passé, tous les drames, chaque blessure, la moindre avarie. Il est pourtant allé récupérer un filon de mémoire au cimetière, clefs et crocs celés dans la crypte salvatrice, son briquet à mèche d'amadou, des calots de verre, un canif à trois lames, une boussole à l'aiguille faussée. En les exhumant ce matin, en les manipulant comme les pièces d'une horloge désossée, il s'était senti happé au fond du sépulcre. Une machinerie nourrie de flammes, de cris, de déchirures s'était remise en branle, avec, en pleine face, tout au fond des orbites, cet éclair noir sans fin renouvelé qui éteint et rallume les nuits et les jours à une vitesse folle jusqu'au cœur pantelant du secret. Quel secret ? La vérité, toute petite flamme, la fragile vérité qui sauve à l'instant de l'horreur absolue.

Une cerise
Une cerise
Et deux noyaux
Et deux noyaux...

Qu'était devenu Éliezer ? L'enfant envieilli de savoirs qui mangeait des yeux tous les livres et les régurgitait en fables, proverbes ou chansons inconnues, son visage si joliment penché du côté où la cervelle se remplit d'étoiles et de prophéties. Et Maître Azoï ? Et Anshel, le farfadet de vif-argent ? En chemin vers le théâtre Fantazyor, rattrapé par sa solitude, Jan-Matheusza appelle à lui, comme le rêve d'un autre, la nuit aveugle du shtetl et le grincement de vieilles armoires des forêts par grand vent, quand il se cachait, minuscule, face à l'effraction du plus tangible cauchemar. Des semaines entières, malgré la faim et cette douleur étourdissante au cœur, il s'était cru affranchi des hommes, à jamais sauf parmi les sangliers flegmatiques, les écureuils et les renards baignés de rosée. Aujourd'hui les rides du cœur transparaissent sur les visages, toutes les armoires des forêts sont closes et il n'est plus d'issue qu'à travers les décors d'un théâtre.

31

Certaines nuits d'hiver semblent retenir leur souffle ; au matin, la neige est comme un regard d'enfant qui s'éveille. Mais au Ghetto Litzmannstadt, l'enchantement n'a plus cours. Chaïm Rumkowski l'a annoncé la veille de la Nativité – Noël, cette fête des goyim qui soulève une incompréhensible bouffée de nostalgie chez leurs voisins juifs –, ordre a été donné au Judenrat de désengorger le ghetto d'une partie de son peuple à des fins d'assainissement et de régulation dans un contexte épidémique. Après de pénibles négociations pour limiter les exigences de l'occupant, ce n'est pas de gaieté de cœur, selon ses dires, mais avec un esprit de concorde et d'équité, qu'il a dû se résoudre à livrer à la Gestapo les éléments perturbateurs, les parasites improductifs, les agitateurs, les délinquants récidivistes, ceux qui traînent dans les prisons, les schnorrers endurcis, les communistes invétérés, les fauteurs de guerre et autres bundistes qui se grisent de vaines intrigues dans une clandestinité illusoire. Un premier convoi d'otages devait quitter les lieux pour *on ne sait où* dans les semaines à venir. La police juive a pour consigne de couvrir les opérations de regroupement des sujets destinés à la déportation sous la tutelle de la Kriminalpolizei. Les sections locales de la Gestapo prendront le relais du seuil de l'enceinte jusqu'à la proche gare de Radogoszcz.

— C'est à mon corps défendant, répétait à loisir le doyen dans l'intimité, une fois ôté son manteau de laine peignée. Me laisse-t-on seulement le choix? Mon rôle est de sauver la majorité de mes concitoyens au détriment d'une petite minorité. Et je n'ose même plus parler de minorité coupable. Ce n'est pas la peine de s'aveugler. Nous le sommes tous aujourd'hui, tous, braves gens, justes, scélérats! On ne pardonne au fond que le mal, et nous feignons d'être scandalisés par le triste usage que chacun fait du bien… Des fois le cœur me manque. Mais quelle importance, je vous le demande, quelle importance cela peut-il avoir?

La neige qui choit continûment sur l'ancienne ville de Lodz recouvre sans privilège les toits et les rues du centre-ville investi par l'immigration allemande, les quartiers limitrophes où la population autochtone a trouvé refuge et le Ghetto Litzmannstadt plus que jamais retranché du monde. Des équipes de terrassiers juifs ont été affectées au déneigement des abords de la clôture afin qu'elle demeure bien en vue des factionnaires juchés sur les miradors.

— Pour nous, la réalité elle-même n'a plus d'existence, aucune de nos certitudes ou de nos croyances n'a plus le moindre début d'existence! pestait le sabotier Gromeleck, autrefois chroniqueur dans la presse progressiste.

Une chape de gel et de silence corsète le ghetto. On n'entend plus résonner les semelles de bois des milliers d'ouvriers en route pour leurs blocs ; la neige verglacée crisse interminablement aux oreilles comme du papier de soie qu'on froisse et défroisse. Profesor Glusk, les poings enfoncés dans les poches de sa vareuse, aurait aimé réconforter l'ex-journaliste. Ce dernier extravague, en pleine déraison.

— Mais tout est faux ! s'énerve-t-il. Nous sommes joués diaboliquement à chaque seconde. Rien n'est vrai de ce qui nous arrive, ou plutôt rien n'arrive comme on l'imagine…

— Baisse le ton, répète Profesor Glusk.

— Qui sont ces démons, tu peux m'expliquer ? Pourquoi ont-ils désigné les Juifs plutôt que leurs propres enfants ? Même le Golem est bon, à côté d'eux, parce que lui au moins a confiance en son Créateur…

— Ferme-la un peu, Gromeleck ! Tu vas nous faire embarquer.

En disant ces mots, marchant tête basse, un œil sur deux policiers de film muet agitant leur matraque, il songe à la vacuité des efforts de résistance au sein même du ghetto. Traqués, sujets à la délation pour un bol de soupe, les membres du réseau n'ont quasiment plus de contacts avec les groupes épars de partisans d'origine chrétienne ou juive qui, dans les campagnes et les villes, n'ont pas cessé de combattre les monstres parodiques du Reich dans la clandestinité.

Béhémoth et Léviathan seraient-ils, comme l'explique une légende, réservés pour le festin des Justes à la fin des temps?

— Tu peux me croire, dit Gromeleck, le jour du Jugement sera d'abord celui de Dieu et la fin du monde coïncidera avec celle de son Créateur. Quant aux Justes, ils crèveront les premiers d'un dégoût plus toxique que tous les poisons de la haine.

— Laisse donc Dieu et ses bonnes âmes tranquilles! maugrée Profesor Glusk. On a déjà assez à faire avec tous ces pauvres gens.

Les deux hommes poursuivent leur chemin côte à côte, au gré de pensées divergentes. Les nouvelles de la radio clandestine peuvent laisser espérer la délivrance à moyenne échéance. Les troupes soviétiques ont repris partout l'offensive sur le front de l'Est et les Alliés débarqués en Afrique menacent les nazis et les coloniaux à leur solde. Mais partout en Pologne, dans les centaines de ghettos petits ou grands voués à la liquidation, au camp de Chelmno de sinistre renom comme dans les territoires du Gouvernement général soumis au pire arbitraire, on laisse mourir, déporte et assassine à tour de bras, tandis que les esclaves du Ghetto Litzmannstadt fournissent des wagons entiers de vêtements chauds à la Wehrmacht ou de jouets aux enfants allemands, contre un méchant contrat de survie au jour le jour.

Quelles actions mener derrière ces barbelés, sans armement ni logistique? Entre deux rendez-vous risqués dans une cage d'escalier, au balcon du cinéma

Baljska converti en synagogue ou dans les caves du théâtre Fantazyor, l'inépuisable Niutek Radzyner, chef de la résistance intérieure, charge les uns et les autres d'organiser les distributions de tracts dans les manufactures et les usines, de démasquer les espions, d'intimider les petits chefs, de tenter de mettre en garde les plus fortunés, commissaires de quartier, familles du Judenrat, dirigeants d'usine, contre toute collusion avec les administrateurs en uniforme de la place Baluty, ceux de la Kripo et autres profiteurs de guerre allemands ou polonais. Mais pour quels résultats ? La Gestapo pourrait se contenter des armes du froid et de la faim, facteurs d'hécatombes. L'hiver n'est qu'un valet de bourreau dans ce confinement tragique. Seuls de rares privilégiés sont fournis en charbon ; on a scié les arbres des parcs pouilleux de Marysin, et tout le bois non indispensable des planchers, des meubles et des portes est depuis longtemps parti en fumée. Les hôpitaux des rues Drewnoioska, Lagiewnicka ou Wesola ne sont plus que des mouroirs. On trépasse aussi bien de pneumonie chez soi que dehors. Où trouver la force de résister, titubant, au bord de l'inanition, sujet à toutes les pestilences ?

Profesor Glusk écoute craquer la neige. Elle tombe de nouveau par vagues lentes, douce avalanche avant les trombes et les tourbillons. Comme chaque matin, Gromeleck pile net devant le porche d'une manufacture de galoches où se presse une foule indistincte d'ouvriers portant casquette et sarrau en toile de sac sur quoi festoie l'étoile jaune.

— À plus tard au théâtre après le bagne, dit Profesor Glusk. Les amis y seront. Tâche de ne pas trop saboter tes sabots !

La silhouette ramassée de Gromeleck pivote lourdement et s'enfonce vers le hangar, au milieu de femmes et d'hommes aux épaules blanchies. L'ex-chroniqueur, qui a vu mourir du typhus son épouse et un jeune fils au début de l'hiver, avance d'un pas de somnambule, en otage démuni du chaos. Solide gaillard malgré les privations, il consentait à tout avant pareille épreuve, à la rédaction des bulletins de liaison et à leur diffusion, au retournement des maillons les plus faibles de la police de sorte à faciliter la circulation des militants, à l'aide aux camarades menacés de déportation après licenciement sur ordre du Judenrat. Que demander à un brave qui perd l'esprit, que faire de lui ? Jamais Gromeleck ne trahira, même s'il risque bien de se dénoncer lui-même par ses propos extravagants. Le péril vient de loin, mais de si près grince son étau destructeur.

Profesor Glusk n'a qu'une rue à descendre pour rejoindre le seul établissement secondaire encore actif dans cette zone du ghetto. Devant les grilles, traînant une jambe folle, le grand fils attardé du concierge s'amuse à jeter des paquets de neige sur les passants. Il y trouve un tel bonheur féroce, gloussant, l'air égaré, qu'on le croirait parti à tourmenter des poules blanches et à disperser des poignées de plumes autour de lui. Profesor Glusk reçoit en pleine poitrine un fragment de congère et vacille, l'œil sur son étoile tout auréolée cousue par solidarité autant que par obligation. L'image lui revient de fugitifs abattus dans les bois proches de Lodz. Il fuyait lui aussi avec d'autres moins chanceux. La mort guette et frappe comme un simplet qui vous lance une boule de neige.

Une cinquantaine d'adolescents frigorifiés accueillent le professeur dans un des rares locaux non encore réquisitionnés, comme nombre d'établissements publics. Le cours porte sur la littérature polonaise et particulièrement aujourd'hui sur Isroel Rabon, une grande figure artistique de Lodz volatilisée peu après l'invasion. D'après ses informations, il se serait réfugié à Wilno, alors sous contrôle de l'Armée rouge. Mais qu'est-il devenu depuis l'entrée en ville de la Wehrmacht et des hordes de hyènes des Einsatzgruppen, maintenant que les bannières ornées du svastika flottent sur le palais présidentiel ? Profesor Glusk a en main un livre de Rabon, son roman *Di Gas* si saisissant par tout ce qu'il préfigure. Sa clausule lui est revenue à l'esprit en marchant tout à l'heure : « La neige inhuma la terre et nous fûmes tous ensevelis avec elle. » Après décryptage des premières pages où l'on voit un vieux savetier extravagant jouer à la guerre contre on ne sait quel envahisseur, avec à sa solde une troupe enrégimentée de gosses nécessiteux de son voisinage – du temps où le pays était écartelé entre trois empires –, il se tait de longs instants devant son public circonspect en attente d'un dénouement. Profesor Glusk songe aux mille facéties du cher Isroel Rabon qui aimait tant mettre à mal l'esprit de sérieux des corps constitués, religieux, militaires ou politiques, de quiconque dissimule sa condition embryonnaire derrière une barbe, des moustaches et autres postiches.

— Plus que jamais les poètes nous sauvent! dit-il rêveusement à l'adresse des étudiants, malgré la désespérance prophétique de sa lecture.

32.

Seul sur la scène du théâtre Fantazyor, le jeune marionnettiste engagé à l'essai par Adam Poznansky semble usurper l'espace nu qu'un vieux projecteur de studio délimite d'un cône de clarté où neigeote la poussière. Il jette des coups d'œil inquiets vers les zones d'ombre de la salle encore déserte, sous les cintres, aux abords des coulisses. Mais ce n'est pas l'heure encore ; il lui faut apprivoiser le vide après en avoir éprouvé la froide étoffe aux heures de répétition.

Assise un peu en contrebas, Rébecca incarne à elle seule le public et lui donne en secret une manière de réplique par sa présence et son regard. Depuis des mois, elle le côtoie, entend ses rares paroles et s'efforce de délier la confusion où par moments il se perd, comme dans une dispute d'esprits. Ses étourderies qui tournent à la stupeur, elle l'a bien compris, résultent d'un désarroi presque insurmontable quant au double rôle qu'il est censé jouer. Rébecca veille sur l'adolescent avec une attention pensive, s'interrogeant en permanence sur l'étrangeté de ce qu'il configure et cherche à incarner dans son spectacle. Mélange de pantomime et de ventriloquie, qui évoque ou suggère une sorte de pratique contrariée du silence. S'il n'y avait la beauté, l'éclat des postures et des visages, l'énigme envoûtante des paroles venues d'un rêve lointain aux lèvres de l'un ou l'autre des sosies de chair et de bois, elle pourrait s'inquiéter des vraies motivations de son employeur.

L'actuel directeur du théâtre Fantazyor aurait déniché dans un hospice du ghetto – du moins le prétend-il – l'extraordinaire Ariel, alias Jan-Matheusza. Il se trouve encore ici et là des ateliers d'expression pour occuper les fous et les malades. On meurt de famine, de froid, de pestes diverses et d'assassinat, tout en s'acharnant à se récréer encore, à jouer la comédie, à partager des concerts de Felix Mendelssohn ou de Cristiano Giuseppe Lidarti. Relativement bien représentés, les corps soignant et enseignant apportent leur assistance dans les infirmeries et les maisons de santé. Rébecca, de son côté, dévoue sa journée de congé à la maternité d'une clinique municipale. Comment est-il possible d'enfanter aux portes de l'enfer ? À l'abri du théâtre, elle ravale toute cette épouvante. Et Poznansky la laisse en paix, dès lors qu'elle met son âme au service de la comédie ; il ne l'importune plus comme à ses débuts, avec cette sournoiserie des hommes qui dédaignent les femmes en les couvrant de louanges. Le père Bolmuche, en permanence hanté par tous les déments gnomiques de Shakespeare, manifeste pour le nouveau venu une indulgence instinctive, contrairement au nain musicien qu'on surnomme Dumpf, lequel ne peut entrevoir Rébecca sans pâlir de langueur. L'amour transi n'exclut pas toujours un désir de préséance. Au demeurant, la barque du théâtre défie sans chavirer les flots humains et réconcilie de quart en quart l'équipage.

Le jour où le directeur engagea le très juvénile marionnettiste flanqué de son effigie, c'est avec la promesse de trouver des noms de scène, pour lui et son pantin, les meilleurs étant les plus courts. Rébecca se souvient du désarroi de Jan-Matheusza, pris au dépourvu comme si on exigeait qu'il changeât de mémoire ou de visage. Amusé, Adam Poznansky était parti à raconter que les Javanais se désignent efficacement d'un seul vocable d'une ou deux syllabes, ajoutant par plaisanterie que, de leur naissance à l'abattoir, les veaux et les moutons n'ont droit qu'à un numéro tatoué sur l'oreille ou l'arrière-train.

Installée au milieu de la deuxième rangée de sièges, Rébecca voit peu à peu s'élaborer la plus fascinante scénographie dans le rond de lumière. Ariel – puisque c'est le nom qu'il s'est choisi – s'accole en siamois, hanche contre hanche, à son propre modèle grandeur nature. Et quel nom irait-il donner à son double ? Vêtu d'un costume de cosaque d'opérette déniché au magasin des accessoires, il a affublé la marionnette de sa tunique de tambour dûment ravaudée par ses soins dans l'atelier de couture des coulisses ; des boutons de métal doré pris sur une vieille livrée d'huissier de synagogue parachèvent l'ouvrage, avec, surfilée à l'endroit du cœur, une étoile jaune toute neuve sous laquelle se dissimule une amulette, fragment d'un parchemin de mezouzah recueilli dans les ruines. De fait, lui-même ne porte plus l'étoile. Acteur ou bateleur, il convient qu'un artiste ne signale aucune appartenance lorsqu'il interprète un personnage légendaire ou historique. Imagine-t-on Hamlet ou un cosaque paré de l'étoile infamante ?

Au fil de questions précautionneuses et de demi-réponses en forme de devinettes, Rébecca a fini par comprendre la persécution inquisitrice subie de longue date par l'enfant innommé. Dans cette institution de Lowicz qui le recueillit, on l'avait arbitrairement baptisé Jan-Matheusza faute de lui faire dégorger sa véritable identité. Et la *mémoire courte* de l'orphelin, flottant dans le vide, avait pu s'en accommoder. Mais Poznansky venait de remettre à vif l'espèce de dislocation, de décollement d'âme, en exigeant que lui et son partenaire en bois de tilleul puissent s'interpeller réciproquement par leurs noms sur la scène. Demande-t-on au chat et au renard d'échanger leurs cartes de visite ? Pendant des semaines, il avait répété à vide, en mime doublement muet, incapable d'articuler les paroles qui font vivre. Toutefois, à force de sonder l'oubli, un beau jour, le silence s'était modulé en lui, une musique sourde avait empli l'espace. Il s'était assis à son habitude sur un petit tabouret, jetant des coups d'œil éperdus sur la marionnette à son image et les ombres du fond. En vis-à-vis, sur son siège du deuxième rang, Rébecca l'encourageait, bouleversée par ce couple de Pierrots lunaires. « Ce n'est pas sorcier, lui disait-elle, pourquoi pas Dan et Dov, Fischel et Faïvel, Ouri et Ouriel, Yoël et Yona ? » Car il fallait bien que son miroir le reflétât, faute de lui répondre. Sorti d'on ne savait quelle école, le jeune marionnettiste n'était pas un de ces badchonim, bouffons des mariages ou des jeux de Pourim, ni un saltimbanque du théâtre Gimpel. Avec lui se jouait un drame singulier qui n'était pas accompli encore. Rien de plus éloquent qu'un novice dont les yeux brillent des joyaux et des couronnes de l'invisible.

Soudain, rompant son silence tendu de ruche ou de lourde hache, il s'était exclamé :

— Ariel ! Mon nom sera Ariel !

— C'est l'un des soixante-douze anges ! applaudit Rébecca. L'ange-lion de Dieu…

— C'est un esprit enfermé dans un arbre ! rétorqua une voix tonitruante jaillie des coulisses.

— Tais-toi donc, Bolmuche ! s'était-elle récriée.

— Si on le libère, poursuivit le vieil acteur, il provoquera une terrible tempête et notre vaisseau sombrera…

— Ne l'écoute pas, il ne s'agit pas de Shakespeare ! Ariel est un joli nom de scène.

Cependant le jeune garçon s'était tourné vers son œuvre de bois, de tissu molletonné et de résine.

— Lui sera Alter, l'enfant malade, dit-il. Est-ce que j'arriverai à le soigner ?

À ce moment précis, lorsque ces mots furent prononcés, et que le nain Dumpf entamait le grand air de la chanson *A Yidishe Mame* sur son violon grinçant de danse macabre, Rébecca sut qu'il était libéré, que Jan-Matheusza s'était dissous comme un dibbouk incirconcis dans la parole naissante du bel Ariel.

À présent, sous la franche clarté du projecteur, le visage incliné de l'aspirant marionnettiste se distingue du visage de son pantin par un ruissellement de vie altière. Tous deux reconstituent un monde secret. Les brisures du vase laissent filtrer la lumière, enseignait le Rav Lipsky. Combien faudrait-il recoller de morceaux dissemblables, comme les pièces d'un puzzle en trois ou quatre dimensions, pour recouvrer la paix d'avant et presque le bonheur ?

Rébecca est montée sur la scène pour assister le manipulateur.

— Devrais-je t'appeler Ariel, moi aussi ? s'inquiète-t-elle en replaçant une mèche blonde qui lui tombait sur l'œil.

— Il n'y a qu'un seul monde.

— Que veux-tu dire ?

— Je ne sais pas. Je ne sais rien. C'est pour ça que j'ai fabriqué Alter.

— Ta marionnette parle par ta voix ! fait mine de s'étonner la jeune femme. Ses cheveux sont un peu plus blonds que les tiens...

— Ce sont mes vrais cheveux, dit Ariel. Pendant un an, j'ai coupé des mèches. Pour les yeux, Maître Azoï m'a trouvé des prothèses de verre...

— Qui est Maître Azoï ? demande Rébecca.

L'adolescent se recroqueville ; ses paupières clignotent. Insensiblement, sa vigilance décline, toute son attention aux phénomènes environnants se replie comme les antennes d'un papillon. Les mains relâchées sur ses genoux, plus absent que sa marionnette, il part à fredonner un petit air idiot :

Une cerise
Une cerise
Et deux noyaux
Et deux noyaux…

Très lentement, pareil au tournesol à la tombée du jour, Ariel s'est détourné et demeure infléchi, comme démantibulé à côté du pantin dont les yeux de verre reflètent la scène entière du théâtre avec son décor de palais en ruine et de forêt profonde.

33

C'est à nouveau l'hiver. Il faut casser la glace pour se laver. Fleurs de famine, les furoncles accrochent douloureusement la toile de jute des camisoles que portent à cru les tisseuses et les fileuses. Dans les manufactures, les vieux jacquards mécaniques réchauffent à peine les corps amaigris vite exténués après les nuits froides au fond des galetas encombrés. Les métiers automatisés, circulaires ou rectilignes, les métiers à tresses ou à lacets, ceux à filer le coton ou la laine, à peigner le lin ou retordre la ficelle, caquettent bruyamment tout le jour en cent endroits du ghetto.

À travers la place enneigée du marché où, la veille encore, Chaïm Rumkowski avait abondamment discouru sous la surveillance des agents de Hans Biebow, une foule disparate chargée de valises et de ballots avance sur deux fronts convergents. Venues des îlots reliés à la zone principale par les ponts de bois, des colonnes d'hommes, de femmes et d'enfants se dirigent vers l'avenue Franciszkanska, en direction du quartier Marysin où d'autres colonnes, pareillement conduites par la Gestapo et la police du Judenrat, s'engouffrent depuis l'aube.

Quelques jours plus tôt, au tout début janvier, les quatre ou cinq mille Roms du camp spécial situé en bordure du ghetto, à proximité de l'entrée menant à la gare de Radogoszcz, ont été évacués avec une relative discrétion par plusieurs sections de la Kriminalpolizei.

Les convois de désengorgement promis par Rumkowski à la hiérarchie allemande ne peuvent cette fois passer inaperçus. Des listes précises ont été établies à partir des registres d'état civil et des fichiers de recensement, alignant en priorité les noms et adresses des invalides et des indigents, consignés avec les improductifs. Familles ou personnes seules, la plupart des sélectionnés pour le prétendu travail obligatoire en Allemagne ou à destination des territoires non encore germanisés du Gouvernement général se sont présentés aux lieux de rendez-vous, munis des douze kilos de bagages autorisés par adulte, avant d'aller grossir avec une anxiété croissante les cohortes en marche vers la barrière de Marysin. Dès que l'un de ces délogés, en soudain repentir à la vue du misérable troupeau où il doit se fondre, tente de s'enfuir du côté des ruelles et des entrepôts réhabilités en usines, les policiers accourent en faisant sonner leurs semelles de bois. Descendus en hâte de camions bâchés, les Waffen-SS s'empressent de circonscrire l'itinéraire. On entend parfois une rafale de fusil-mitrailleur quelque part, derrière un mur ou à distance. Les ouvriers des manufactures et des ateliers riverains ont ordre de ne pas quitter leur poste. Ici et là pourtant, harangués sous le nez des contremaîtres par un membre du Bund ou un ex-syndicaliste, le personnel presse le pas dans un brouhaha et les gorges se délient au spectacle des cohortes, malgré l'afflux de policiers survenus matraque haute. Quelqu'un toujours, à ses risques et périls, repousse les pandores et entame à pleins poumons un chant de dérision :

Rumkowski Chaïm, tu donnes un peu d'eau
Tu donnes un peu de poivre
Et du poison en quantité
Rumkowski Chaïm, tu règnes sur un ghetto de
    famine
Facturé au mètre carré
Et tu te crois notre sauveur

Pendant ce temps, dans les immeubles délabrés, les cabanes et les masures de Marysin, des escouades de policiers appuyés par une section de la Kripo traquent les réfractaires. La liste du premier convoi établie au 16 janvier comporte un peu plus de deux mille patronymes dont environ un tiers d'hommes, davantage de femmes et cent cinquante-quatre enfants, parmi les plus défavorisés. Ils sont nombreux à n'accorder aucun crédit aux prétextes de l'occupant relayés par le Judenrat. A-t-on besoin des handicapés, des femmes et des enfants pour déblayer les ruines des bombardements alliés en Allemagne ?

Chaïm Rumkowski répond sans faillir aux ordres

du Reichsstatthalter et Gauleiter du Wartheland, dont la bonne exécution dépend des bureaux d'un Hans Biebow de plus en plus récriminateur et impérieux à son égard. Les hospices et les prisons du ghetto, que les premières déportations ont désempli, serviront désormais de centres de relégation avant les convoyages. Chaque jour ou presque, de nouveaux départs sont organisés sous l'égide de l'administrateur et contrôleur du ghetto. Hans Biebow qui, à l'imitation de ses pairs, s'octroie de substantiels passe-droits sur la livraison quotidienne de nourriture, ne saurait déroger aux fondamentaux de la Schutzstaffel.

Litzmannstadt, ex-ville de Lodz germanisée, peut être déclarée *judenrein*. Ultime foyer de contagion, le ghetto du même nom sera éradiqué malgré les gesticulations du doyen. « Travaillez encore et toujours plus, si vous voulez vivre! » répète à l'envi le roi Chaïm. Biebow comprend assez mal l'individu, son énergie de petit caudillo et sa pusillanimité face aux dignitaires du Reich. Ce judéen négocie la survie des siens contre cent mille pièces de textile pliées et emballées, en chef d'industrie aussi véreux que pugnace dans un marché aux esclaves et aux chiens. Présomptueux, au fond résigné et docile, il accepte les offenses et les restrictions dès lors qu'on lui abandonne la couronne d'Hérode. Les premiers convois pour le camp de Chelmno – manouches, infirmes, malades mentaux et autres populations superflues – n'auront provoqué aucun désordre notable. Rumkowski feignait-il d'ignorer que les *Gaswagen*, ces camions de transit pour l'autre monde, allaient exterminer les convois de prétendus volontaires dès leur débarquement ? Désireux d'être détrompé, il était venu un jour lui demander des éclaircissements sur de *fausses rumeurs*. « Des camions de la compagnie de café Kaiser transformés en chambres à gaz ? lui avait-il répondu. Ridicule ! Himmler ne supporte pas les violences, vous le savez bien. » Le doyen était reparti satisfait, sinon rassuré. Et Biebow avait longtemps ri. Le Reichsführer Heinrich Himmler, cette « bête à cornes sournoise » comme l'appelle Goebbels, ne manque certes pas de raffinement. La vue du sang l'émeut au plus haut point. Il déteste qu'on fusille ou pende devant lui. D'ailleurs une récente dépêche transmise par l'*Inspektion der Konzentrationslager* aux intendances des camps et ghettos de Pologne, prouve la constance conjoncturelle de son altruisme :

« Les Juifs courent le risque cet hiver de ne pouvoir être tous nourris, il y a lieu de considérer sérieusement si la solution la plus humaine ne serait pas de liquider les plus inaptes au travail par un moyen quelconque à action rapide. En tout cas, ce serait plus charitable que de les laisser mourir de faim. »

Les détracteurs du Reichsführer prétendent de manière éhontée qu'on lui attribue les propos du Führer en personne, comme si l'Allemagne ne parlait pas d'une seule voix !

C'est avec une perplexité amusée que Biebow observe le morne défilé des troupeaux humains destinés à la déportation, depuis les fenêtres de son bureau de la place Baluty. En désespoir de cause, ces misérables s'efforcent de croire aux promesses de leurs juges et bourreaux engagés à juste titre dans la défense de l'Occident aryen. Au cours des deux dernières années, ils ont vu mourir de famine et d'épidémie des proches et des voisins, plus d'un dixième de la population du ghetto, et subi eux-mêmes toutes les maltraitances ; pourtant les voilà qui partent, valises en main et gosses à leurs basques, sans paraître se douter de ce qui les attend. Même les animaux de boucherie crient leur désaccord lorsqu'on les mène à l'abattoir. Les soi-disant policiers, clique d'aboyeurs bénéficiant des petits avantages du Judenrat, ont tous un peu l'air de moutons noirs travestis en chiens de berger. Entre leurs rangs, les familles avancent à pas menus dans la neige sale, suivies par des lots pathétiques de patriarches à peine valides, des estropiés béquillant, d'incorrigibles mendigots en habits râpés et galoches boueuses, des femmes enceintes qu'un époux squelettique guide en trébuchant.

Voilà qu'un énergumène jailli d'un porche d'immeuble part à haranguer la cohorte d'une voix tonitruante au beau milieu de la place. Grand et vigoureux, il dresse les poings par-dessus les têtes. Après un instant d'hésitation, les policiers affluent. Mais le tribun repousse leurs assauts tout en invectivant la foule muette.

— *Oy, gevald*, n'y allez pas ! hurle-t-il. Rentrez chez vous, bande d'idiots ! On va tous vous assassiner !

— *Shlog zikh mit Got arum !* réplique un policier

en rabattant sur lui sa matraque.

D'autres l'imitent, frappant à toute volée le forcené qui se protège de ses avant-bras et éructe à l'adresse de la colonne.

— On vous emmène à Chelmno! À Chelmno, comprenez-vous? Dans un camp d'extermination!

— Ne lui faites pas de mal! s'écrie une jeune femme aux cheveux presque blancs sortie du rang des déportés. C'est Gromeleck, le grand journaliste! Il n'a plus toute sa tête...

Mais un policier accouru la rabroue, crachant un *Gey avek! Gey avek!*, prêt à frapper au visage.

— C'est Gromeleck, le sabotier Gromeleck! at-elle le temps de crier encore avant de tomber sur les genoux.

Les agents de la Gestapo de service devant les locaux de la Gettoverwaltung, traversent la foule, mitraillette au poing. Avant qu'ils aient pu agir, Hans Biebow a ouvert la fenêtre de l'étage et, les jambes écartées, épaule une carabine de précision.

— *Eine einzige Kugel*, murmure-t-il avec délectation, l'œil sur son viseur. Une seule balle pour tuer l'ours...

Frappé au front, Gromeleck vacille en tournant sur lui-même comme s'il cherchait un signe au-dessus des toits. Précipitamment, par vague instinct, les policiers juifs s'écartent de la cible, laquelle s'abat d'un bloc, avec lenteur, la face ensanglantée. N'est-ce pas la neige qu'il voulait voir, les flocons qui voltigent et planent par millions dans le ciel vide? Elle s'amoncelle maintenant, plus drue, sur ses yeux grands ouverts.

Biebow range dans un ratelier de bois verni sa carabine de tir longue distance. Il s'est tenu dans l'ombre ; personne ne s'est aperçu de rien. La colonne avance à nouveau sous une palpitation d'aigrettes et de copeaux. La tache rouge qui s'étend sur toute cette blancheur attire seule le regard. Galoches et sabots traversent sans bruit la place Baluty. Les empreintes de pas elles-mêmes s'effacent près d'un arbre couché que la neige recouvre méticuleusement.

34.

Les sirènes du couvre-feu s'élèvent, assourdissantes, dans les glaces du crépuscule. Serrant un sac à provisions au sortir des coopératives après des heures de queue au milieu d'ouvrières de retour des dernières crèches ou garderies avec, tout contre elles, une couverture enveloppant un enfant menacé, Rébecca s'est mêlée aux ombres nombreuses qui luttent, inclinées, contre un vent de pierre. Proies sous l'haleine d'un golem aux mesures de la nuit, toutes semblent vouloir fuir le long des façades éteintes.

Les patrouilles de la Kripo, souvent enivrées à cette heure, n'hésitent pas à tirer à vue sur les attardés. Craignant d'être pris à partie au détour d'une ruelle, les policiers désarmés se montrent plus discrets après s'être prêtés tout le jour à la traque des réfractaires inscrits sur les listes du Judenrat. Une lune écarlate en forme de hache ou de faux jette des lueurs intermittentes entre deux nuées. Par endroits étincellent des plaques de neige durcie. Chargée d'une panière, Rébecca presse le pas vers le théâtre. Dans certains quartiers sensibles du ghetto – en bordure des axes routiers interdits où circulent les tramways et les véhicules militaires, sur le circuit ordinaire des départs en déportation, à proximité des entrepôts de munitions que les ouvriers juifs fabriquent sous haute surveillance – quiconque oublie de montrer patte blanche risque d'être réquisitionné pour le prochain convoi ou simplement abattu. Tout passant attardé, seul ou de compagnie, est susceptible d'être accusé de visée terroriste. Dans les circonstances, les laissez-passer attribués aux médecins, rabbis et autres professions de secours, ne permettent plus de se déplacer sans escorte après une certaine heure.

Rébecca venait de livrer au nez de l'occupant des liasses de tracts incitant à diverses formes de résistance ainsi qu'une pile du dernier tirage du journal clandestin hebdomadaire imprimé au moyen d'une presse à bras dans les caves du théâtre Fantazyor, l'un des rares endroits où l'on pouvait encore circuler, s'agiter et faire du bruit en toute discrétion. Finalement bien moins lourde, sa panière au retour est garnie de légumes, oignons, pommes de terre, betteraves et, par exception, d'un bon kilo de viande de cheval acquis en *rumkis* de contrebande.

Par droit de majesté, Rumkowski se fait un honneur de soutenir les arts et l'enseignement, malgré l'indignation croissante des autorités de Litzmannstadt et de la Gettoverwaltung. Comment les Juifs réduits à l'esclavage trouvaient-ils la force de se rendre dans les bibliothèques et d'assister à des concerts, des séances de cinéma ou des pièces de théâtre ? Le roi Chaïm, grisé par ses prérogatives, subventionnait le théâtre Fantazyor pour sa propre satisfaction, histoire d'y parader en costume de soirée avec sa nouvelle épouse et sa cour d'accapareurs. En parvenu du pouvoir, il s'intéressait goulûment aux comédiens, enfants, jeunes filles de la scène, avec cette candeur hautaine, impudente, des fronts bas que l'orgueil tourmente. Un soir, dans les coulisses, la veille des noces burlesques du doyen et de sa princesse, Rébecca avait échappé à sa rondeur salace en lui projetant sous le nez un couteau postiche trouvé là, poignard de comédie en bois de bouleau recouvert de fer-blanc. Curieusement, Rumkowski avait pâli et s'était retiré, sans jamais prendre contre elle une quelconque mesure de rétorsion, comme si un pareil geste, qu'il savait inoffensif, l'avait atteint au vif en lui révélant sa posture accessoire de bouffon calamiteux.

Mais c'est la nuit. Rébecca n'a plus qu'une rue à traverser pour gagner la cour du théâtre. Une des patrouilles mixtes des services de sécurité allemands et de la police juive, actives depuis la multiplication des rafles, surgit devant elle. Bottes de cuir et semelles de bois sonnent sur le pavé ou la glace. Des chiens pisteurs, l'oreille pointue, halètent au bout de leurs chaînes. Rébecca hésite à se défaire de sa panière. L'odeur crue de la viande de cheval ne la dénoncerait pas plus que les battements de son cœur. Par triste chance, une silhouette d'homme sort là-bas de l'ombre et les chiens hurlent ; on la voit battre des bras, filiforme, et tenter une retraite précipitée. La patrouille tout entière disparaît à sa suite dans l'angle obscur des façades. Et brusquement éclate un tir d'arme en rafale. Rébecca, tremblante, gagne à pas comptés le portail et la cour. Sur le seuil, à l'écart, craignant d'avoir été suivie, elle retient longtemps sa respiration sous un pan de nuit noire. La maigre silhouette abattue par les nazis vient de lui sauver la vie. Chaque fois qu'un passant meurt, un autre poursuit sa route. De sa poitrine, une fois de plus, le kaddish lui monte aux lèvres. Le ciel nocturne s'est déchiré sur des milliers de pointes étincelantes. Chacune est un soleil tourné vers l'au-delà. Des larmes aux yeux, Rébecca marmonne la prière des endeuillés.

Puisse Son grand Nom être béni à jamais et dans tous les temps des mondes.

Un sourire éploré lui vient, songeant au dos de Dieu, si vaste, infini.

Qu'il y ait une grande paix tombant du ciel.

Une grande paix, répète-t-elle, l'esprit égaré. Qu'elle vienne, qu'elle vienne enfin, que ce soit par la vie, le sommeil ou la mort, cette paix de miséricorde ! Mais pourquoi Dieu regarde-t-il ailleurs ? Pourquoi les constellations plus puissantes que toutes les armées du shéol ne posent-elles pas leur sceau de lumière sur les paupières des meurtriers ?

Le silence règne aux abords du théâtre. Elle pousse une porte faussement condamnée et appelle dans le noir. Les coupures d'électricité lui ont appris à se diriger grâce à la texture du sol, aux bruits et aux odeurs. Un nuage de poussière aux senteurs variées la guide. Au détour d'un couloir, une lueur clignote du côté de la salle. Des lampes à huile éclairent le plateau.

Assis sur un petit banc de bois, épaule et flanc collés contre le pantin, contre Alter raidi à sa gauche, le mime Ariel, statufié à l'image de son double, s'exerce avec un naturel stupéfiant à l'exercice de l'immobilité. Rien ne bouge dans cette physionomie de Pedrolino, nul cillement, pas la moindre contracture, il s'agit pour le marionnettiste de se concentrer intensément sur l'immutabilité de son sosie aux traits peints et d'atteindre ainsi l'ankylose, afin qu'on ne sache plus distinguer le vivant de l'inerte.

Sur le coup de la frayeur, après cette course dans la nuit, Rébecca s'est approchée, les genoux tremblants, sa panière au bout du bras. L'odeur de sang l'étourdit à cause de la faim ou du dégoût dans l'air épaissi. *Combien d'enfants la mort a-t-elle?* Sur le plateau, entre deux lanternes, les jumeaux la suivent du regard comme au fond des musées ces portraits de mélancolie.

—J'ai peur, dit-elle. Ariel! Ariel! À quoi joues-tu?

Ces mots à peine prononcés, un phénomène extraordinaire, d'ordre hallucinatoire, s'accomplit devant ses yeux. Rébecca pousse un cri aigu, très bref, et mollement s'effondre au pied de la scène comme une grande poupée désossée. Le jeune marionnettiste semble rompre un carcan de torpeur; ses paupières clignent. Qu'est-il arrivé? Il considère sans comprendre l'étrangeté de ce qui l'entoure. Pourquoi est-on venu perturber sa répétition? Depuis des heures, il s'exerçait à se dissocier, à sortir de lui. Au minuscule théâtre des Quatre Sabots, vingt fois Maître Azoï lui avait expliqué la chose à faire, le secret des secrets, ce qu'il fallait atteindre: disparaître dans son apparence, devenir sa propre marionnette, inscrire mentalement le mot אמת sur son front, le mot *Vérité* qui devient *Met* ou *Mort* quand on efface l'aleph. Il a presque réussi cette fois malgré les douleurs cervicales et ce fourmillement dans les pieds. N'y a-t-il pas une seule âme tranchée entre jointures et moelles par le glaive étincelant à lame double? Toutes ces pensées se déroulent en un quart de seconde, comme les rêves détaillés qu'un incident provoque en même temps qu'il éveille. Lui revient, impromptue, il ne sait d'où, la vision des joyeux hassidim en transe; en particulier l'un d'eux, vêtu de lin et de soie, à la grâce de jeune fille. C'était la veille de Yom Kippour. Au milieu de la ronde, le hassid brandit au-dessus de sa tête un coq à crête de feu qu'il fait tourner trois fois en déclamant: « Voici mon double et mon remplaçant, voici mon expiation... » S'est-il douché d'un sang chaud pour racheter ses fautes au tribunal des cieux?

Presque instantanément, voyant s'affaisser la jeune femme et rouler les betteraves et les pommes de terre, Ariel a laissé son pantin choir à demi sur le banc pour aller s'accroupir près d'elle. Dans la pénombre animée de lueurs, l'évanouie est si belle. Sa panière s'est vidée dans la salle ; les oignons ont glissé sous les sièges. Comment rendre le souffle à la statue couchée sans qu'elle se brise ? Il se remémore, si floue mais familière, une apparence, prince ou mendiant récitant Isaïe.

— *Réveille-toi, réveille-toi, revêts tes habits les plus magnifiques…*

Rébecca remue les lèvres et gémit. Ses paupières palpitent comme l'aile du papillon qui cherche à s'arracher de l'arantèle. Ariel a saisi l'une de ses mains entre les siennes, bouleversé par sa douceur de petit animal. Il s'est incliné sur le visage couché, tout près, écoutant sa respiration et recevant la brise tiède de ses lèvres. Rébecca rouvre enfin les yeux.

— J'ai vu, ce n'était pas toi, dit-elle d'une voix absente.

— Mais qu'as-tu vu ?

— C'est l'autre, c'est le pantin qui bougeait, je l'ai vu…

35

Dans les caves du théâtre Fantazyor qu'éclairent les lampes à pétrole, deux étudiants de Profesor Glusk assistent l'ouvrier typographe à l'œuvre sur une vieille presse à bras Stanhope. La machine et une collection complète de casses à caractères avaient été récupérées, la veille de la clôture définitive du ghetto, par Gromeleck et des imprimeurs du réseau dans les locaux d'un grand quotidien yiddish peu après que l'occupant l'eût mis à sac. Grâce à ce matériel d'appoint, l'information continue de circuler dans la ville juive, dépêches et échos des divers fronts étant fournis principalement par les postes de radio dissimulés chez l'habitant. On ne peut cacher la vérité aux condamnés, c'était l'avis de Gromeleck. On ne saurait pas davantage les abandonner à la désolation. Il s'agit pour les rédacteurs de couvrir avec la peau de chagrin de l'espérance une tragédie démesurée où brûle le monde extérieur. En Pologne, terre maudite entre toutes, les camps de détention politique, militaire ou ethnique à ciel ouvert se sont étendus et modulés en vastes camps de concentration puis d'extermination, de tuerie industrielle — Chelmno, Majdanek,

Auschwitz-Birkenau, Sobibor, Treblinka, et combien d'autres en construction avec la main-d'œuvre des victimes. Mais le secours viendra d'ailleurs, de l'étranger, du bout du monde, de Dieu peut-être. Partant, la résistance s'impose, si dérisoire soit-elle face aux molochs de haine et d'acier.

Malgré les pires offenses, la traque des gestapistes et l'arbitraire meurtrier, la cellule de Profesor Glusk, naguère chef d'un réseau rayonnant sur toute la voïvodie et désormais séquestré avec cent trente mille survivants derrière une clôture infranchissable, n'en demeure pas moins l'une des plus actives du Ghetto Litzmannstadt. La gueule du loup étant la meilleure cachette au milieu des giboyeurs, Profesor Glusk avait convaincu le comédien à l'oreille manquante de se montrer d'une discrétion totale, sinon collaborative. Devenu directeur du théâtre Fantazyor à force de complaisance et de lâche ennui, Adam Poznansky se retrouvait être, du fait de ces mêmes travers, l'otage d'une poignée de comploteurs. Son goût du paraître n'ayant d'égale que sa faiblesse de caractère, il lui fallait subir le contrôle du Judenrat et l'épreuve d'hôtes intempestifs. Conséquence d'une disposition psychologique intenable, cette situation de double contrainte ne manquait pas d'attiser en lui certaine perversité morose. Mais il n'aurait pu dénoncer l'activité de ce Profesor Glusk et de ses acolytes sans être par la suite convaincu de collusion. Fermer l'œil est l'issue ordinaire aux dilemmes.

Une fois le hall franchi, les membres du réseau ne

profitent pas moins des tranquilles matinées de relâche que du relatif chahut lié aux spectacles, tant sur scène que dans la salle, pour se faufiler au fond d'un couloir tournant. Un escalier discret mène aux sous-sols du théâtre, dans les caves aménagées autour de l'imprimerie clandestine. Depuis la fin prévisible du cher Gromeleck, assassiné pour un esclandre de trop, Profesor Glusk a pris à cœur la pérennité du journal. Il en rédige mainte chronique en sus de l'éditorial et dispense à ses étudiants les plus impliqués des consignes lors de ses cours transformés en conférences de rédaction, un solide article bien étayé et réfléchi valant tous les exposés. Contraint à travailler le jour dans l'un des ateliers communaux, l'ouvrier typographe emploie une ou deux nuits par semaine à la composition et à la mise en forme. Une fois les caractères assemblés et calés page après page dans les châssis, il laisse ses assistants occasionnels abaisser la platine qu'un contrepoids relève, puis tirer les feuilles et les plier. Une presse à un coup de ce type, pour le tirage d'un mille, nécessite des matinées entières à l'ouvrage. Avec le risque de voir un jour ou l'autre la police du ghetto investir les lieux à la suite de quelque enchaînement d'indiscrétions aboutissant à la délation d'un crève-la-faim ou d'un des innombrables préposés payés en tickets de rationnement par le Judenrat.

Pour l'heure, les membres de la cellule s'invitent en catimini dans les sous-sols en se pliant au petit échange rituel entre mot de sommation et mot de passe. C'est ainsi que Shloyme Frenkel a surgi avec un large sourire pour rassurer les jeunes gens qui ne le connaissaient pas. Sans Shloyme, ancien chroniqueur infiltré dans le service d'ordre du Judenrat, le journal aurait cessé de paraître, faute d'encre et de papier. C'est ce qu'explique d'emblée Profesor Glusk à la compagnie. Sioniste convaincu, l'ex-directeur du *Handverker-Tsaytung*, le grand quotidien yiddish de Lodz, garde un moral d'airain en toutes circonstances. Dans l'impuissance générale à laquelle confine l'état de reclus, les discussions oscillent entre un catastrophisme prudent et les plus extravagantes utopies. Fort des longues années passées en Amérique latine et de ses grands reportages en Europe, Shloyme joue l'atout du juif errant, comme Profesor Glusk celui de citoyen du monde.

— Des négociations sont en cours entre la Palestine et Berlin pour nous exfiltrer tous, soutient le premier tout en relisant crayon en main son article sur le *Lodzer Tageblatt* et la presse yiddish au temps des trois empires.

— Nous ne pouvons compter que sur la résistance intérieure et la victoire finale de l'Armée rouge, répond l'autre.

L'ouvrier typographe à proximité, vieil ours autrefois corpulent métamorphosé en mule étique par la disette, éclate soudain de rire, la feuille du dernier tirage entre ses mains tachées d'encre.

— C'est de vous ça, « La presse yiddish à la Belle Époque » ?

— Oui, et alors ? s'étonne Shloyme.

— Et vous vous prétendez juif ? Quand on parle de Belle Époque, c'est la preuve qu'on n'est pas juif !

Comme chaque jour, malgré la vigilance ambiguë de Poznansky qui s'efforce de la tenir à distance de ce cénacle de factieux, Rébecca réapparaît dans la lumière des lampes. Elle sursaute en apercevant l'uniforme de Shloyme Frenkel. Mais tous lui sourient dans la cave, tous portent l'étoile jaune sur l'épaule et la poitrine. La discussion se poursuit entre les uns et les autres.

— Nos ancêtres devaient déjà bien savoir que la vie n'est sauvée que par ceux qui la racontent, dit Shloyme à un étudiant marxiste féru de Talmud qui s'interrogeait sur l'utilité d'encombrer le journal d'un conte d'Itzkhok Leybush Peretz.

— Et c'est lui, commente Profesor Glusk, c'est Itzkhok Peretz qui a si justement dit que sans le yiddish vous n'auriez plus de peuple.

— Les nazis se sont engagés dans la dévastation totale de notre culture, reprend d'une voix tranquille Shloyme Frenkel. Qui d'autre que les poètes et les raconteurs d'histoires saura transmettre la mémoire de notre terre perdue ? Eux seuls pourront restituer à nos enfants la haute mélancolie du shtetl. Et comment serait-ce possible sans évoquer les origines de la diaspora, la destruction du Temple, la généalogie poudreuse de l'errance depuis la malédiction d'Abraham... Souvenez-vous : « Tes descendants vivront dans un pays étranger où ils deviendront esclaves et où on les maltraitera pendant quatre fois cent ans. »

— Quatre fois mille ans serait plus approprié, grommela le typographe.

Terrifié par l'intolérable suggestion d'une emprise indéfinie du Troisième Reich, Shloyme voudrait en rire.

— À chaque siècle suffit sa peine! lança-t-il. Hachem, qui de tout temps sait tout, fût-ce la teinte exacte de l'aile du dernier scarabée qui volettera autour de la pierre tombale du Maharal de Prague, est-il devenu la figure absolue de l'impuissance, de ce côté du monde?

Distraite par la pénible contraction des visages sous les lampes, Rébecca sans y penser, met un terme à cette effusion de lassitude.

— Le comité de coordination m'a transmis pour vous le dernier communiqué de Niutek Radzyner…

— Eh bien, lis-nous-le donc! s'écrie Shloyme Frenkel.

Cette injonction trouble la jeune femme qui, hormis les distributions de tracts et de journaux, n'a jamais été acquise à d'autres actions.

— Puisqu'on te le demande! insiste Profesor Glusk. N'es-tu pas des nôtres comme chacun ici?

— Si, si, évidemment, dit-elle en dépliant le billet. Voici: « Ce 8 mai 1942, sous le sceau du secret, je m'autorise à informer mes camarades de quelque obédience qu'ils soient, tous unis dans l'adversité, de la situation dramatique du ghetto à quelques jours de la fête de Pessah. Depuis le 16 janvier, près de cinquante mille de nos compatriotes ont été déportés au camp de Chelmno. Rien ne laisse espérer un ralentissement de ces purges massives. Deux convois de pauvres gens quittent chaque semaine le ghetto pour la gare de Radogoszcz. Nous savons de source certaine que la plupart ont été exterminés par asphyxie dans des camions à gaz. Nous avons appris à connaître la perfidie des bourreaux et plus grand monde n'accorde le moindre crédit à leurs mises en scène hypocrites : le médecin inclus dans chaque convoi, les douze kilos de bagages autorisés et les dix reichsmarks reçus par personne. On voit chaque jour la police du Judenrat bloquer les rues et accomplir des rafles pour compenser le peu d'entrain des Juifs invités à se présenter aux points de rassemblement. Les agents municipaux traquent sans pitié les femmes et les enfants de leurs congénères. Et Rumkowski les gratifie d'une ration de nourriture supplémentaire. À côté de cette tragédie, les taux de production des usines et fabriques font de notre ghetto l'un des plus grands centres industriels du Reich. Nous alimentons la machine de guerre allemande. A-t-on jamais connu pareille contradiction ? Le nazisme dont l'objectif primordial est la destruction des Juifs utilise ce même peuple pour se donner les moyens de sa monstruosité. Et ce chien de Rumkowski, qui prétend nous rendre indispensables aux Allemands par l'esclavage, n'hésite pas à lancer ses milices contre ceux qui s'opposent à sa politique de collaboration pour les livrer aux tueurs.

Pendant ce temps les traîtres du Judenrat, les fonctionnaires nazis, ceux de la Gestapo et de la Kripo, détournent et se partagent une partie du butin. Le roi Chaïm, l'Amtsleiter Hans Biebow, l'Obersturmbannführer Otto Bradfisch, tous les dignitaires sont luxueusement vêtus et copieusement sustentés grâce à l'ouvrage de travailleurs affamés. Avoueront-ils jamais leur indignité ? Il faut résister aux bourreaux et à leurs pareils, nous n'avons pas d'autre choix, ceux qui perdent l'esprit de résistance mourront. Nous devons organiser autant que possible la sauvegarde des familles destinées aux prochaines vagues de déportation, créer des cachettes un peu partout, construire de fausses cloisons dans les appartements, aménager les caves et les greniers. Sanctionner les traîtres, policiers ou civils, qui aident nos exterminateurs à débusquer les malheureux promis à la déportation… »

La voix brisée par l'émotion, Rébecca s'est interrompue et tend à la première main qui s'ouvre le communiqué du chef de la résistance juive.

— Qu'allons-nous devenir ? souffle-t-elle en cherchant désespérément le regard des uns et des autres.

Murés dans un silence sans consolation, tous hochent doucement la tête et, soudain rapprochés par ce mouvement, ne peuvent s'empêcher de sourire au beau visage de la jeune femme.

— On ne comprendra jamais comment les choses arrivent, murmure par esprit d'abréviation l'ouvrier typographe.

36.

Le printemps en Pologne scintille aux dernières neiges. Il reste si peu d'arbres, si peu d'herbe dans les jardins détruits qu'on s'émerveillerait presque d'une fleur de crocus poussée entre deux pavés. À distance, par-dessus les clôtures de barbelés et les palissades, des frondaisons d'un vert tendre frémissent au vent léger et laissent rêver d'une autre vie. La douceur de l'air et cette lumière contrastée sur la désolation des lieux appellent une forme quasi somatique d'espérance que la plus vive angoisse accompagne fatalement.

Au petit matin, Jan-Matheusza s'est arraché du glaçant suaire d'un mauvais rêve. La tête vide, il a caché sa marionnette géante derrière une cloison des coulisses et s'est échappé du théâtre où Poznansky le confine depuis des mois. « Ici, tu ne risques rien, lui serinait-il. Le doyen nous protège et les Allemands nous tolèrent. Les fonctionnaires adorent nos spectacles, celui d'Ariel et Alter en particulier ! Ces gens-là ont besoin d'amuseurs. Dehors, il y a des barrages, des rafles aveugles à tous les coins de rue. Sans carte de travail, tu es bon pour la déportation. » Les autres comédiens, le père Bolmuche et le nain musicien, ne quittaient guère les lieux et avaient charge de le surveiller d'un œil, chacun le sien. Dumpf surprenait souvent l'adolescent à errer la nuit dans les corridors, les escaliers ou les combles. Sans le réveiller, il le reconduisait habilement par des chants de papillon et des paroles à demi rêvées jusqu'à sa couche, à l'abri d'un appentis aménagé au fond du magasin des accessoires dont le faux mobilier en papier mâché et les décors de bois blanc avaient en grande partie servi de combustible. Des cartons vides, des sommiers de fer et divers échafaudages d'échelles, de piliers de soutènement et de colonnes de plâtre drapés de vieilles tentures, y avaient été entreposés par les amis de Profesor Glusk afin d'y cacher toutes sortes de gens à l'occasion, des fugitifs traqués par la Gestapo, des enfants de la rue ou des familles soustraites aux convois hebdomadaires.

Jan-Matheusza a profité de l'affluence de ces derniers jours – quelques-unes des femmes enceintes convoquées par la police à partir de nouvelles listes fournies en haut lieu – pour s'éclipser et rejoindre la rue, une pomme de terre en poche, gagnant par crochets et détours la vaste place du marché ouverte sur le ciel. Proprement vêtu, l'étoile cousue sur une tunique neuve fabriquée dans un atelier de couture aux frais du théâtre, il respire la lumière comme un chat évadé. Un train siffle, on entend son râle précipité. Le glas sonne au loin ; un cliquètement démultiplié trahit le passage de blindés entre deux zones du ghetto. Mais Jan-Matheusza n'a d'attention que pour le ciel. Tel vers d'il ne sait quel poète polonais lui passe par l'esprit : *Où qu'il soit l'homme voit plus de Ciel que de Terre.* Comment se peut-il qu'une alouette des champs s'élève en flèche au-dessus du ghetto pour clamer si haut, à tue-tête, la joie des rivières, des forêts et des collines ? Est-il vrai que les chants d'espoir nous viennent des alouettes ? Et les nuages qui passent plus haut encore dans l'azur calme, caressent-ils vraiment nos cheveux et nos fronts d'une haleine d'ange ?

Mais une cohorte vêtue pour le plus long hiver, manteaux et vestes entassés l'un sur l'autre, s'engage d'un pas lourd sur la place tandis que deux véhicules blindés se positionnent de part et d'autre. Ces gens-là ne partent pas pour Chelmno ni vers les nouveaux camps de Majdanek et de Treblinka ; ils viennent d'ailleurs, des petits ghettos démembrés du Wathergau, d'Allemagne et d'autres pays occupés. Descendus de trains à bestiaux qui repartiront en direction des camps avec les Juifs de Lodz, on les conduit absurdement d'un secteur à l'autre, vers des immeubles évacués, dans les écoles sacrifiées, les hospices libérés des services pour valétudinaires ou handicapés. Épaule contre épaule, se bousculant comme un troupeau de moutons serrés par des chiens, ils cheminent en état de choc, dans l'égarement, la face blanchie d'épouvante après les traques meurtrières des Einsatzkommandos.

Jan-Matheusza, bras ballants, oublie les nuages et suit des yeux la colonne. Qu'est-il arrivé au monde, que s'est-il produit d'irréparable ? *Sang de la terre blessée, deuil avide grondant chez les vivants...* Parmi ceux-là, dans la foule trébuchante, une silhouette de jeune fille se détache, si maigre, vêtue de noir, les cheveux relevés en tresses sur le haut du crâne. À la merci des assassins, cette coquetterie scandalise. Son petit visage aux lèvres fines, aux yeux étirés flotte un instant, familier, sans accrocher vraiment le souvenir, puis disparaît au milieu d'ombres. Le convoi s'éloigne, d'autres lui succéderont, cette fois en marche forcée vers la gare de Radogoszcz.

Dans les usines et les manufactures, courbés, sciés en deux, les ouvriers préfèrent se détruire au travail plutôt que de connaître leur fin. Ils ne veulent plus voir partir les réprouvés, les cachectiques, les délogés pour improductivité. Qui s'en plaindrait ? La faim, l'épuisement et la maladie ont brisé le désir ; tout accès de révolte s'achève au gibet ou la face écrasée dans une flaque de sang. Pourtant on se récrée encore, le soir. Certains déclament des poèmes, chantent des ballades drôles ou déchirantes. On joue du violon et de l'accordéon. Et les pantins prennent vie quand les vivants se disloquent. Un marionnettiste en sait quelque chose. Mais où trouver assistance au milieu des automates et des poupées ? Faut-il attacher une missive aux ailes mécaniques du coq de bruyère pour qu'il aille chercher secours auprès de la reine de Saba, ou bien lever une armée de golems pétris dans la tourbe du ghetto ?

Deux policiers, trique au poing, ont repéré le badaud isolé et s'élancent vers lui dans un claquement de galoches en poussant des cris terribles.

— *Oy vey! Shleper! Shimazl!*

L'adolescent engourdi par sa rêverie les laisse accourir sans regimber, cependant les policiers changent soudain d'attitude et partent à rire.

— *Oy!* Mais n'est-ce pas Ariel? N'est-ce pas le montreur de marionnettes?

— Ariel et Alter! Qu'ils sont drôles! Mais où est son jumeau?

Après un coup d'œil en direction des blindés, c'est d'une seule voix qu'ils lui conseillent de s'éloigner.

— Rentre vite chez toi! dit l'un. Les Allemands tirent à vue sur les pantins trop curieux…

— Nous t'aimons bien, *puppeteer*, mais file, file! ajoute l'autre.

Jan-Matheusza a longé les ponts de bois par la rue Lagiewnicka et se retrouve bientôt devant les ruines de la synagogue Wolynska. On n'ose plus guère s'aventurer par ici au grand jour, pendant les heures de travail. Le fracas des tramways en contrebas de l'avenue interdite et d'un chantier de démolition, dans une zone de Lodz lourdement bombardée lors de la campagne de septembre, s'interrompt par intermittences, laissant entendre un chant d'oiseau très pur, lumineux, comme une fêlure du silence.

Devant les blocs fracturés de pierre de taille, le fronton avec son étoile sculptée et l'amas de gravats en partie recouvert de lierre mêlé au liseron, lui revient en mémoire le temps pas si lointain où il explorait ces décombres en quête de bouts de chandelle pour éclairer le petit théâtre des Quatre Sabots. Mais voilà que la houppe d'une tête clownesque émerge d'un rempart d'éboulis comme une marotte au ras du castelet. C'est un grêle vieillard qui se déroule en *langue de belle-mère*, presque à l'horizontale, sur les allumettes de ses bras, et qui s'égosille en faisant le geste d'avaler la pointe de ses ongles.

—J'ai faim, finit-il par articuler. Je n'ai rien mangé depuis les cailles de Moïse et son écœurante galette de fiente tombée du ciel…

Distrait du fond de sa détresse, Jan-Matheusza fouille les poches de sa tunique et en sort, légèrement aplatie, une pomme de terre mal cuite. L'air d'un spectre dans son caftan blanchi de poussière de plâtre, les pupilles étincelantes, le vieillard s'est précipité pour s'en saisir, craignant sans doute une dérobade. Sa barbe caprine s'agite sous son menton tandis qu'il dévore l'offrande.

—*A dank, a dank, a dank ir zeyer fil!* Cette patate, c'est un jour de Dieu, une merveille! Tu n'en aurais pas une autre?

Les gestes de dénégation de l'adolescent égaient le personnage couleur de papier mâché qui part à fouiller énergiquement le fond de ses poches comme pour se défendre d'une invasion de puces. Il en ressort une minuscule pièce de monnaie et glousse de contentement.

—Tiens, prends ça, dit-il, en la jetant à ses pieds. C'est de l'argent d'autrefois, une pièce de cent qui en vaut bien plus. J'en ai un coffre plein dans la synagogue, toutes sortes de monnaies, prussienne, russe, byzantine. Est-ce qu'on pouvait imaginer? Il a fallu qu'ils la détruisent. *Oi vai iz mir!*

Les bruits de bottes d'une patrouille incitent l'adolescent à rejoindre promptement le vieil homme de l'autre côté, à l'abri des blocs de pierre.

— C'est moi le bedeau, tu comprends? Viens donc voir, tout n'est pas perdu…

Par une anfractuosité que dissimulent des arêtes de ciment, il engage son sauveur d'un jour à le suivre. À l'intérieur, passé un goulet de briques concassées en forme de gosier de brochet, s'évase une caverne entre les blocs reliés par des fragments de vitrail que scelle une sorte de mastic. Des planches et des sacs de jute colmatent le sol inégal recouvert d'un vieux tapis où tournent les couleurs d'un arc-en-ciel. Dans l'une des cavités, des objets du culte, le chandelier à sept branches dont trois manquantes, des clochettes accrochées à un bout du rideau de l'Arche, les fragments d'une stèle gravée des noms de bienfaiteurs, avec un livre de prières au centre en guise de Sefer Torah. La flamme d'une lampe à huile charbonne dans cette pénombre.

— D'habitude, dit l'ancien bedeau, je tue une souris que je cachérise et la mange, tu me crois? Mais en t'apercevant à travers ces vestiges, j'ai su que je pouvais avoir confiance. Je n'ai pas oublié quand tu venais récolter les bougies du temple, même que des fois j'en plaçais une ou deux sur ton chemin, dans les ruines. Il y en a des stocks là-dessous, une vraie mine de cire et de paraffine. On dit que Hachem a créé la lumière provenant d'un feu. Moi, je garde la lumière perpétuelle dans ce qui reste du temple. Qui pourrait imaginer que l'office est célébré chaque jour sous ce tas de pierres ? Les gens ont besoin d'un peu de confort pour honorer le Saint des saints. Mais voilà, les Allemands ont brûlé et démoli la synagogue principale après avoir troué d'une seule balle la précieuse cervelle de notre rabbi. Une balle suffit pour effacer toute une bibliothèque ! Moi, le shamash, j'habitais une loge à l'entrée. C'est comique, personne n'a pensé à m'exterminer.

L'ex-bedeau effrayé par ses propres mots cherche en vain une lueur d'acquiescement dans l'œil de son jeune hôte. Mais la flamme qui palpite à côté du livre suffit à l'apaiser.

— Quand les soldats sont partis, poursuit-il, j'ai été conduit dans une maison de retraite par des Juifs du voisinage. Un an plus tard, le jour où la police et les soldats sont venus rafler tous les vieillards, des millénaires d'âge à nous tous, j'ai pu me sauver. C'était au coin d'une ruelle, au moment du départ. Mais où aller ? Dans ma vie, je n'ai connu que la maison de Dieu. Puisque tout était détruit, j'ai décidé de remplacer le rabbi pour les cérémonies. Il suffit d'une petite lumière et d'un livre de prières. Même en ruine, une synagogue reste une synagogue.

37

Un tiers des reclus du Ghetto Litzmannstadt avaient été déportés depuis l'hiver 1942. Bien d'autres convois s'en furent pour l'inconnu à la suite de sélections pointilleuses ou de rafles incohérentes. Les campagnes de recensement ordonnées par les nazis et mises en œuvre par des commissions de fonctionnaires, quartier après quartier, étaient des indicateurs d'épouvante. Celle de juin concernait deux tranches d'âge, en-dessous de dix ans et au-dessus de soixante-cinq – sans prendre en compte les victimes d'épidémie et les infirmes répertoriés dans les institutions comme chez l'habitant. Parallèlement, les décrets du Reichs-statthalter pleuvaient sur les populations épargnées. La suppression des salaires et pensions de famine, promulguée par Arthur Greiser, frappait désormais l'ensemble des camps et ghettos du Warthegau, ce qui n'empêcha pas le roi Chaïm de faire imprimer de nouveaux timbres à son effigie afin que le bon peuple puisse lui adresser vœux et encouragements. En dépit des menaces de liquidation, le Ghetto Litzmann-stadt était devenu un pôle industriel florissant – au point d'attirer de riches promoteurs allemands, tel

Neckermann, spécialiste de l'aryanisation des entreprises juives –, ce qui autorisait le Judenrat à négocier périlleusement et au coup par coup la destinée de la caste avertie des travailleurs.

Néanmoins les conditions de vie se rapprochaient peu à peu de celles des camps. Proscriptions, relégations et interdits se multiplièrent au fil des beaux jours, avec quelques pendaisons publiques pour l'exemple, entre deux exactions de gestapistes en goguette, des viols, des assassinats distraits de hassidim trop voyants. La fermeture des bibliothèques préalablement pillées, des écoles et des salles de concert transformées en entrepôts de marchandises ou en dortoirs lors du transit des déportés extérieurs, parut calmer quelque peu l'indignation de l'état-major nazi qui voyait un comble de pestilence dans cette incompréhensible soif de culture au sein des « foyers de contagion juifs » tôt ou tard voués à l'anéantissement. Ainsi la mise à sac du principal hôpital du ghetto, avec déportation des patients et démantèlement des structures de soin, au premier jour de septembre, avisa les plus lucides d'un tournant redoutable dans la gouvernance allemande.

Le doyen du Conseil juif ne tarda pas à annoncer, par voie d'affiches et de crieurs publics, un important discours de rentrée pour le 4 septembre. Place de Lustige Gasse, dite « des Pompiers », des employés du Judenrat installèrent une estrade fournie par les services techniques de Hans Biebow, lequel ne dit mot sur l'usage d'échafaud que la Kriminalpolizei en faisait ordinairement. Le jour prévu, c'est avec une gravité exceptionnelle, l'air d'un martyr endimanché, que le doyen monta tête basse sur cette tribune. Les tours noires de l'église de l'Assomption de Marie, réformée en dépôt d'armes, se profilaient en limite du ghetto, juste au-dessus de la caserne des pompiers dont la façade blanche réfléchissait la lumière du ciel sur les mille crânes d'une foule rendue dolente par les privations et malgré cela accourue de toutes parts.

Devant les mères de famille, modélistes et petites mains, qui s'assemblaient au pied de l'estrade, le doyen richement vêtu eut un accès de gêne inexpliqué et ôta son chapeau melon à bord relevé. La scène n'avait pas échappé au photographe officiel du Judenrat fidèle à son poste. D'un pas fatigué de notable, Chaïm Rumkowski s'approcha du microphone monté sur pied et considéra avec un mol effroi cette masse de gens aux yeux braqués sur lui, laquelle ne semblait nullement décroître en dépit des rafles et des déportations continues. Henryk Ross s'attendait au pire à chaque nouveau discours du doyen. Sa tâche était d'illustrer la propagande de l'occupant et de ses obligés ; et son devoir de rendre compte de la plus chaotique monstruosité mise en œuvre par une bureaucratie rendue folle, sous couvert d'une guerre totale. Entre cette fonction peu glorieuse et son engagement camouflé – toutes ces photos prises sous d'autres angles pour servir un jour au jugement de l'Histoire –, le divorce était pour lui si éprouvant qu'il rêvait bien souvent d'en finir, d'enlacer Stefania sans retour dans la chambre noire du tombeau.

Mais on ne peut échapper aux images. Le potentat ridicule, l'histrion des bourreaux – sans doute l'un des rares intermédiaires parvenus à pondérer leur soif homicide à force de pugnacité, de hâblerie et d'hypocrite allégeance –, s'efforce avec peine de recouvrer sa physionomie d'émancipateur magnanime. Le visage ravagé, il a saisi d'une main le micro comme s'il allait y boire et s'exclame.

— *Un coup terrible s'abat sur le ghetto ! Vous me voyez totalement anéanti. Un Juif brisé se tient devant vous. Il me faut pourtant vous exposer ma requête : aidez-moi à mener à bien cette pénible entreprise ! Je tremble de tout mon être. Je redoute que d'autres – Dieu nous en garde – ne l'accomplissent par eux-mêmes. On nous impose d'abandonner le meilleur de ce que nous possédons ! Je dois m'acquitter d'un acte chirurgical effrayant – je dois amputer les membres pour sauver le corps. Aujourd'hui, aucun désir en moi de vous consoler ni même de vous apaiser. Votre angoisse et votre peine, je dois les laisser s'épancher. Je viens à vous tel un brigand des chemins vous arracher ce que vous chérissez le plus en vos cœurs ! Pourtant, je me suis efforcé par tous les moyens de faire révoquer cet ordre. J'ai tenté de l'atténuer quand bien même cela paraissait impossible. Quel ordre, vous demandez-vous ? Attendez ! Écoutez-moi. Je dois vous révéler un secret : ils ont réclamé vingt mille victimes ! Trois mille par jour pendant huit jours… Je suis parvenu à réduire ce nombre, mais pas à abroger la clause obligatoire : qu'il comprenne les moins de dix ans. Comme le total ne représente que deux tiers des âmes demandées, les malades devront faire la différence, il n'y a pas d'autre alternative. Je vous tends mes mains tremblantes, et vous supplie : remettez-moi les chers petits ! Qu'une population laborieuse de cent mille Juifs soit préservée ! Car ils m'ont promis : si nous-mêmes fournissons les enfants, on nous laissera enfin en paix... Hier au soir, j'ai fait établir une liste des moins de dix ans — je voulais au moins sauver ce groupe des neuf et dix ans. Cette concession ne nous a pas été accordée. Je n'ai réussi que sur un point : épargner les dix ans et plus. Que cela soit une consolation à notre profond chagrin. Vous, mères, je vous comprends ; oui, je vois vos larmes. Je ressens ce que vous éprouvez dans vos cœurs. Et vous, pères qui irez travailler le matin après que vos chers petits vous auront été enlevés, quand la veille encore vous jouiez avec eux... Depuis hier à seize heures, depuis que cet arrêt m'a été imposé, je suis un homme brisé. J'ignore comment je survivrai, où je trouverai la force pour agir. À mon âge vénérable, je dois tendre les mains vers vous et supplier : frères et sœurs, remettez-les moi ! Pères et mères, donnez-moi vos enfants*[1] *!*

Ces derniers mots résonnèrent longtemps par-dessus les têtes, à l'intérieur des crânes, le long des échines. La foule silencieuse avait écouté le roi Chaïm dans un état d'hébétude proche de la sidération,

---

1. Discours de Chaïm Rumkowski du 4 septembre 1942, retranscrit par l'auteur.

comme si la mort aux mains de sucre avait vissé des planchettes sur les tempes de chacun. Une nuée ténébreuse cherchait à pénétrer par tous les trous et interstices, sous les chapeaux mités des hassidim, les bonnets des tisserandes ou les fichus des vieilles.

Incapable d'appuyer sur le déclic, lui-même sous le coup de l'annonce, Henryk Ross n'avait pas dévié son angle de vue. Il considérait les visages rapetissés et légèrement incurvés au bout de l'objectif, de l'autre côté d'une mécanique funeste qui mire et vitrifie. La conscience percutée, il eut honte de ressentir à son corps défendant ce fond de soulagement qui vous traverse au milieu du malheur : son épouse Stefania, par chance, n'avait pas d'enfant ni n'en désirait en pareil enfer.

Tout à coup, un hurlement aigu de femme déchira l'espèce d'assourdissement général, de commotion nauséeuse provoquée par cette insane plaidoirie. D'un même mouvement, les mères et les sœurs qui avaient emmené leurs enfants, leurs petits frères, se saisirent d'eux comme pour les arracher à l'ogre de la tribune. Des invectives fusèrent ici et là.

— *Merder ! Merder !*

— *Natsi ! Chaïm iz a natsi !*

En fuyant la place, des ouvrières rompues par l'émotion s'affaissèrent sur leur progéniture, d'autres concevant l'inanité de cette débandade s'assirent à même le sol en serrant contre elles les innocents. Hommes ou femmes, ceux qui avaient déjà tout perdu ne bougeaient pas, raidis, l'âme vacante, dans l'attente d'un avis de dispersion. Accourus en nombre, les policiers se jetèrent sur les crieurs de slogans et s'employèrent obstinément à les matraquer, l'esprit ailleurs. Eux aussi avaient des enfants ; les leurs bénéficieraient-ils d'une dispense ? Ils abattaient mécaniquement leur casse-tête, sachant que les coups ne portaient pas sur des corps anesthésiés par la violence des mots. Un Rav, père de trois filles en bas âge, remonta vigoureusement le cours de la foule en débâcle et, face à la tribune, apostropha le doyen qui, impatient de suivre le service d'ordre jusqu'à son attelage, s'essuyait le front avec un carré de soie blanche.

— Ceci est-il aussi pour le bien ? s'époumona, poing tendu, le rabbi. Sois excommunié Chaïm, toi qui ne laisses pas la chance à Dieu ! Mais le Salut viendra en un clin d'œil et tu seras détruit comme tous ces impies qui ont le culte du blasphème et la bigoterie du sacrilège !

Des policiers firent taire l'importun sans trop le malmener, effrayés d'entendre crépiter la mitraille du côté du cimetière : la Gestapo n'usait guère de matraques. Ces Juifs de Lodz ne comprendraient-ils jamais leur privilège tandis qu'on déportait partout ailleurs – à Varsovie, Cracovie, Wilno, Czestochowa, Lublin, Kielce, Radom, Kolozsvar, Lakhva, Lwow, Bialystok –, et qu'on exterminait dans les camps par gerbes de mille ? Le moindre mal n'était-il pas de vivre un jour encore, plus un jour, plus un autre jour si le Ciel voulait, cela jusqu'à Rosh Hashana, la fête de l'an neuf, peut-être même jusqu'à la fête de Souccot, dans les cabanes étoilées, et qui sait, de survivre encore pour Yom Kippour, pour un dernier Grand Pardon, d'être en vie toujours à Pessah, la fête du pèlerinage, tous guidés loin de la servitude par Moshe Ben Amram, le premier prophète, à travers un désert plus suave que l'espérance, là-bas, vers Eretz Israël, vers cette terre asséchée qu'on jette au tombeau en récitant le kaddish, en chantant la prière sans début ni fin puisque chaque homme n'est qu'un chemin, un pont fragile entre la mémoire et l'oubli insondable. Mais la mort aujourd'hui ne sautera pas au-dessus des maisons, elle n'épargnera pas les premiers-nés.

Chaïm Rumkowski quitte maintenant la place dans sa calèche à huit ressorts qu'une pauvre rosse aux os pointus tire après elle. En rangeant son matériel, le photographe a croisé le regard du vieil homme, saisi par son expression de colère résignée. Les meilleurs clichés ne tiennent qu'au hasard. Dans son champ visuel, l'œil globuleux du cheval et celui non moins exorbité du cocher s'alignaient presque sur le même axe que la prunelle éteinte du doyen qui, à ce moment précis, essuyait ses lunettes avec un carré de soie blanche. Perle de nul collier, une larme coulait, exactement la même, de ces trois orbites fixant des horizons divers.

38.

On paye l'entrée en *rumkis* de zinc ou de papier filigrané au théâtre Fantazyor. La monnaie du roi Chaïm a pris une certaine valeur depuis la suppression du salariat par décret du Reichsstatthalter. Quant aux places promotionnelles distribuées par la direction, elles servent en priorité de devise au marché noir et passent de main en main jusqu'à ce qu'un *aficionado* aux poches sonnantes en fasse usage. Au grand étonnement de la caissière, la fille du Rav Lipsky voudrait payer sa place avec l'un des quelques zlotys cousus dans la doublure de sa robe. Elle est si maigre et fragile sous le poids d'épaisses nattes noires relevées sur le haut du crâne que son billet lui revient avec mille excuses.

— Garde ton argent et rentre t'asseoir, rentre, *kleyn farfim!* c'est gratuit pour toi...

Dans la salle, à leur habitude, les ouvriers du ghetto s'installent par bandes complices, ceux des fabriques de sabots ou de bonneterie, les tisserandes des manufactures des rues Bracka et Roberta, les boutonniers-nacriers ou ébénistes en jouets. La plupart ont perdu ascendants et rejetons et ne trouvent qu'au sortir du logis un semblant de réconfort, parmi les visages familiers aux sourires moribonds, dans cette communauté abrutissante du travail, laquelle a pour ultime vertu d'endormir la douleur.

Il n'y a plus de vieillards au Ghetto Litzmannstadt, les derniers sont partis avec les premières neiges. On n'aperçoit plus d'enfants en bas âge dans les rues depuis les derniers départs, place du marché ou place Baluty. Meryem, la fille du Rav Lipsky abattu aux premiers jours de l'invasion, les a vus cheminer par centaines vers le portail du ghetto, hébétés de fatigue, un ballot contre leur poitrine, une poupée sale à la main, frileusement serrés ou clopinant, l'épaule affaissée, leurs petits bras accrochés à quelque sac de toile plein de livres et d'oripeaux. À l'heure du couvrefeu, pendant toute une semaine, les moins de dix ans furent enlevés un par un aux familles réfractaires. Contre un peu de nourriture ou la promesse d'un sursis pour eux et leurs proches, des volontaires de la « garde blanche » à la botte des nazis ont conduit d'immeuble en immeuble, de palier en palier, les gestapistes et autres escadrons de la Schutzstaffel. Celles et ceux qui s'insurgèrent contre l'intrusion furent mis aux arrêts, ou abattus sur place. Des mères rendues folles se sont défenestrées en serrant contre elle un petit corps. Des pères et des frères tinrent un siège derrière leur porte avant d'en finir comme les insurgés de Massada. Nombreux auront été les parents emprisonnés pour rébellion. On a pendu pour l'exemple certains d'entre eux, place Bazarowa. Cependant la *September Aktion* s'est achevée, selon la procédure prévue, par la déportation de vingt mille innocents, les plus jeunes, les moins de dix ans. Avec les filles des ateliers de couture alertées par les résistants, Meryem a pu en aider un certain nombre à échapper. Les résidents les plus avertis ont aménagés des caches un peu partout, dans les greniers, les caves et derrière les fausses cloisons où de très vieilles femmes, elles-mêmes confinées à l'abri des rafles, se vouent à la sauvegarde des derniers enfants juifs en bas âge avec l'appui du voisinage.

Assise au milieu d'une rangée vide, Meryem observe les plis immobiles du rideau de scène. Après tout ce qu'elle a pu endurer dans la chair et l'esprit depuis la dévastation du shtetl de Mirlek et le meurtre du rabbi, son père extatique, de l'autre côté de la Vistule, c'en est fini des vœux et des désirs. Meryem l'éprouve au plus intime, Yeroushalaïm n'est qu'une prière. Il n'y aura plus d'an prochain. C'en est pareillement fini de l'espérance et des lendemains pour les survivants du Ghetto Litzmannstadt qui ont vu s'en aller à pas menus leurs tout-petits très pâles et sans larmes. Si déchirante est la blessure, si vive au cœur du cœur, que seul un dibbouk y pourrait survivre. Ankylosée, les muscles des cuisses tendus, Meryem attend le lever de rideau comme une sorte d'aube dans la pénombre des lampes.

Mais un homme en habit de scène à face de demi-lune se propulse avec un mol entrain sous l'unique projecteur. Tout le monde a reconnu Adam Poznansky, le directeur de l'ultime théâtre homologué du ghetto.

— *Well, well!* s'exclame-t-il, un reflet d'eau vive sur le visage. Ce soir le roi Chaïm ne nous a pas honorés comme prévu de sa présence, et je ne vois aucun des ministres et chambellans du royaume dans la salle. Tant mieux ! S'il y a des espions infiltrés parmi nous, leur pitoyable malveillance les discréditerait quoi qu'ils puissent rapporter à leurs maîtres ! Aussi pouvons-nous parler haut et rire librement. Le théâtre Fanta-zyor est la devanture des songes. Ce qu'on y représente n'a pas grand-chose à voir avec ce qui s'y passe vraiment. C'est comme dans cette vieille histoire, vous savez, le type désireux de faire réparer son réveille-matin et qui aperçoit dans la grande rue du shtetl une vitrine pleine de pendulettes, d'horloges et de montres. « Réparer votre réveille-matin ? s'étonne le barbu qui le réceptionne. Vraiment désolé, je n'y connais rien en horlogerie, je suis circonciseur ! – Mais alors, s'exclame avec surprise le visiteur, son réveil entre les mains comme un gros œil terne, mais alors pourquoi toutes ces montres dans votre vitrine ? – *Oy !* lui répond le mohel. Qu'est-ce que vous voulez donc que j'y mette ? »

Dans sa lancée, et malgré sa lassitude, Poznansky enfile bien d'autres perles connues de tous, vraies comptines pour adultes, comme celle qui réjouissait tant le docteur Freud : deux colporteurs rivaux mais très pieux s'interpellent sur le quai d'une gare, l'un demandant « Où vas-tu ? », et l'autre répondant : « Je vais à Cracovie. » Le premier, pas du tout convaincu, se fâcherait presque : « Tu me dis que tu vas à Craco-vie, pour que je croie que tu vas à Lodz, alors que je sais très bien que tu vas à Cracovie. Alors, pourquoi mens-tu ? »

Meryem voudrait être sourde. À son grand soula-gement, le rideau se lève enfin. Poznansky, à bout de ressources, s'écarte vers les coulisses après un salut d'arlequin. Le père Bolmuche, consigné à la manivelle, l'accueille d'un air désolé.

— *Oy, a skandal !* bougonne-t-il.

— Le spectacle continue ! dit l'acteur à l'oreille coupée, un doigt sur les lèvres.

Ce qui se fomente dans son théââtre, les réunions nocturnes, les transferts de matériel, tous ces vains complots dans les caves, les petits enfants muets accroupis derrière les décors, il ne veut rien en savoir. Ni complice, ni ennemi. Qu'on le laisse postuler que seul existe l'illusion, la farce, le drame en son palais ! Un mot de trop, une image interdite, et c'est la dépor-tation. Il faut réjouir le public, le divertir et profiter jusqu'à en mourir de sa distraction. Grâce au roi Chaïm, il n'y a plus de rafles au ghetto. Les hommes de main du Reichsführer ont tenu parole. On ne voit plus de cohortes blêmes en marche forcée pour la gare de Radogoszcz. Toutes les usines du Judenrat tournent à plein rendement. Les disetteux ne crient plus famine. On meurt encore d'infection, de chagrin ou de dénutrition, mais avec la retenue d'un désespoir longtemps mûri. Tant que les marchandises seront livrées par wagons entiers à l'Allemagne, les fourriers de la mort pourvoiront en retour les cantines et les coopératives. Les choses pourraient durer ainsi des années encore selon le bon plaisir des larrons du Reich ou de la destinée. Lui n'est qu'un usurpateur, un camelot de la vie sauve, une sorte de diable désappointé...

Avant de s'effacer dans la nuit des coulisses, Adam Poznansky jette un coup d'œil inquiet sur la scène : Ariel et Alter sont maintenant calés sur leur petit banc. On s'esclaffe dans la salle rien qu'à les voir. On oublie la grande solitude. Personne ne distingue l'un de l'autre, la marionnette du marionnettiste. Lequel des deux manipule l'autre ? Changeant de place et d'habits au gré des jours, Ariel joue au bonneteau avec lui-même.

—Alter ? Tu m'entends ?

—*Shlof, kindele, shlof...*

—Tu te souviens ?

—Qui est Ariel ?

—C'est moi, Ariel.

—Je t'ai bien vu.

—Alter, avec tes yeux de verre ?

—Je te vois et t'entends.

—Avec tes oreilles de bois !

—*Halevay ! Puisque tu es mon frère...*

—Je suis toi, *gloib mir !*

—*Mikh ?*

—*A bisl yid* bientôt tué.

—*Tsugehert,* je parlerai bien bas...

—Tais-toi ! Les tueurs nous écoutent.

— *Halevay!* Qu'est-ce que ça change ?
— Alter en bois, Alter en flammes...
— Tu te souviens ?
— *Shlof, kindele, shlof...*

Serrés hanche contre hanche, épaule contre épaule, montrant même face de mimes blancs en conciliabule, rien ne saurait dénoncer l'un ou l'autre, sauf peut-être la flamme d'une lampe proche pour l'œil attentif. Celui qui se fait appeler Ariel arbore l'étoile sur sa tunique de tambour. Si près de lui, la grande marionnette en jaquette de cosaque n'en porte pas. Magnanimes, les nazis n'imposent pas encore le port de l'étoile jaune aux poupées des Juifs.

Bouleversée, riant à travers ses larmes, Meryem attendra le tomber de rideau pour se faufiler jusqu'aux coulisses. Il n'y a pas de rappel au théâtre Fantazyor. Nul ne sait qui pourrait revenir. On applaudit une fois pour toutes. Personne ne remarque la jeune fille en noir. Si menue, brûlante de consumption, elle est comme une flamme qui tremblote au vent. Tandis qu'elle ouvre des portes dans le couloir désert, on chante en chœur *Ot geyt Yankele* sur la scène, à la mémoire du poète et musicien Mordechai Gebirtig assassiné début juin au ghetto de Cracovie. Errant par les corridors, Meryem a découvert cinq figures d'anges ou d'enfants, leurs mains diaphanes sur les lèvres, au fond d'une chambre obscure. Accordéon et violon emplissent ses oreilles tandis que les paroles s'effacent. Elle pousse enfin la bonne porte et ravale un cri d'effroi. Dans la loge exiguë, automate disloqué au creux d'un fauteuil loqueteux, la tête renversée, celui qui se faisait appeler Ariel, à bout de ressorts, semble attendre qu'on l'aide à reprendre son maintien de jeune tambour. Assise sur un tabouret, la marionnette géante en tunique de cosaque considère avec perplexité sa visiteuse à travers le grand miroir qu'elle essuie du revers de la manche. Le temps d'un battement de cils, ou d'une feuille d'acacia que le vent retourne, l'univers se résorbe comme la buée du miroir.

— Alter! se récrie Meryem. Tu ne me reconnais pas?

— Je suis Ariel, répond Ariel, en montrant du doigt sa créature grotesquement démise. Il ne faudra pas le dire, nous avons échangé nos costumes…

— Tu es Alter, je te connais depuis toujours.

— Je suis Ariel et mon vrai nom est Jan-Matheusza!

— Mais souviens-toi de nous deux dans le jardin du shtetl, à Mirlek…

— Mirlek? s'étonne l'adolescent qui se lève et s'approche de l'inconnue filiforme aux épaisses torsades de cheveux noirs relevées sur le haut du crâne.

— Tous ont été tués, les tiens, les miens, les voisins. Des hordes ont massacré, violé, brûlé. J'ai réussi à m'enfuir, j'ai couru dans les bois, j'ai marché toute la nuit. J'ai traversé d'autres villages incendiés, détruits. J'ai vu des cadavres d'enfants démembrés, des paysans crucifiés.

— Qui es-tu ? demande Jan-Matheusza en s'approchant très près de ce visage aigu de fille aux prunelles
luisantes comme des scarabées.

— Meryem ! Meryem ! Ne te l'ai-je pas dit ? La fille
du Rav Lipsky…

— Qui es-tu ? D'où viens-tu ? l'entend-elle répéter
avec obstination comme s'il voulait éloigner de lui
toute réponse.

— D'un de ces petits ghettos où je m'étais réfugiée
et que les nazis ont liquidés. Le sang a coulé dans
les escaliers, sur les trottoirs. Mais ils se sont lassés
de tuer comme des ivrognes, des noceurs rassasiés.
Ils ont conduit les rescapés ici, à Lodz, avec d'autres.
Il y avait plein de Juifs étrangers parmi nous, dans
les trains, les camions…

Meryem sent fléchir en elle l'extrême tension qui
la portait et chancelle, prise de vertige. Elle s'accroche
au cou du garçon pour ne pas tomber. Ainsi suspendue, son visage trempé de larmes, elle l'étreint et
l'embrasse à pleine bouche, songeant qu'elle allait
mourir, qu'elle mourrait bientôt, qu'il n'y aurait jamais
d'autre amour qu'Alter dans ce monde. La pulpe de
ses doigts glisse sur la nuque du garçon et devine, à
peine sensibles, les contours d'une cicatrice circulaire.
Elle rit dans ses pleurs, murmurant à son oreille :

— Tu es Alter, Alter, Alter ! Je t'avais mordu juste
là, dans le cou, pour te reconnaître. Vous étiez si
semblables toi et Ariel, deux perles, deux gouttes
d'eau, comment peut-on être si pareils et en vie
chacun pour soi ?

— Qu'est-il arrivé à mon frère ? demande une voix perdue de ventriloque.

Meryem s'est emparée d'Alter, elle le dénude fébrilement et se donne à lui, sa robe noire soulevée au-dessus de ses hanches maigres, de ses flancs brûlants, de ses seins petits qu'un cœur ivre secoue.

— Fais-moi un enfant, gémit-elle. Je t'ai retrouvé, Alter chéri. J'ai quinze ans, toi aussi. On brûle les Juifs à Treblinka. Notre enfant jamais ne naîtra. Jamais, jamais, jamais ! Nous le porterons dans nos deux âmes. Tu crois qu'ils vont nous assassiner ? Non, non, ne t'inquiète pas…

— Qu'est-il arrivé à mon frère ?

— Nous partirons ensemble, bientôt, bientôt, à Yeroushalaïm, à Yeroushalaïm ! Rien de mal ne peut plus nous arriver.

39.

Réduite de moitié à la fin de l'année 1942 à la suite
des déportations massives, la population du Ghetto
Litzmannstadt demeura à peu près stable durant les
dix-huit mois qui suivirent, malgré les épidémies liées
aux conditions sanitaires désastreuses. Les nazis
n'avaient-ils pas conçu les ghettos pour mettre en
quarantaine les israélites, vecteurs selon eux de
maladies contagieuses ? Désormais, par manière de
privilège, on mourait plus discrètement d'indigence
dans les rues des quartiers enclos de Lodz. Le cours
des choses allait un train sans cahots ni déraillements
notables dans cette cité-État fantoche qui tenait sa très
relative indépendance de l'obligation pour tous à
des travaux forcés quasi pénitentiaires. Cette Ruhr
juive peuplée d'esclaves faisait l'admiration railleuse
des exterminateurs de la Schutzstaffel qui ne manquaient pas de bousculer le roi Chaïm à la moindre
baisse de production. Toutefois, rendus nerveux par
la défaite de Stalingrad et leur reddition en Afrique
du Nord, les Allemands accélérèrent partout ailleurs
le démantèlement des ghettos, petits ou grands, et les
déportations conséquentes vers les camps dotés de

chambres à gaz et de crématoires, en concurrence relative avec ceux dits « concentrationnaires », bagnes de la mort lente relevant d'autres procédures.

Chaïm Rumkowski n'ignorait pas que son royaume faisait exception, que les ghettos de Cracovie et de Wilno n'existaient plus, que celui de Varsovie n'était que ruines après l'insurrection des derniers survivants, la plupart âgés de moins de vingt ans, que la résistance juive d'inspiration bundiste, sioniste ou simplement patriotique brûlait ses dernières cartouches face aux gigantesques dispositifs de spoliation et d'anéantissement mis en place en Europe avec la complicité tacite ou avouée de tout l'Occident. Tandis que la « Solution finale de la question juive » élaborée à Wannsee par les hauts responsables du Reich semblait résolue en Pologne, les administrés du Ghetto Litzmannstadt se voyaient régulièrement informés des succès de la gestion du Judenrat grâce à « la vision personnelle de contrôle des décisions du doyen entrepreneur ». Depuis la déportation systématique des *bouches inutiles* couronnée par une chasse aux innocents digne de pharaon ou du roi Hérode, aucun convoi n'avait quitté le ghetto, et les quelques arrestations de factieux, les exécutions de provocateurs notoires devaient selon toute vraisemblance conforter la paix civile intra-muros, malgré les sentinelles des miradors occupées à tirer le lièvre et en dépit des surenchères des Biebow, Moser, Uebelhoer ou Greiser qui, afin d'accroître leurs profits personnels sur la production manufacturière du ghetto, menaçaient à tout propos d'en finir. L'interdiction d'enseigner, de célébrer et de divertir, désormais patente, astreignait étudiants, fidèles ou mélomanes à une téméraire clandestinité. Définitivement closes, les écoles élémentaires publiques subsistaient de manière itinérante de foyer en foyer. Les plus de dix ans affectés, pour leur survie, aux travaux en usine, se préparaient à la Bar Mitzvah entre deux corvées grâce au soutien de manœuvres délicats versés dans le Talmud. Cette prohibition de toute expression d'indépendance n'empêchait pas une multitude d'otages de chanter en secret, d'inviter les klezmorim à jouer sans tambour ni timbales au fond des caves, d'étudier la valeur numérique des lettres et des phrases de la Torah écrite, ou de se raconter, le soir, les histoires du temps passé autour d'un poêle anémique.

Le théâtre Fantazyor continuait néanmoins d'ouvrir librement ses portes deux ou trois fois par semaine. Le roi Chaïm avait obtenu une dérogation exceptionnelle de la Gettoverwaltung. On lui avait retiré ses orphelinats, ses écoles, ses hospices, ses enfants, mais du moins pouvait-il de temps à autre aller en calèche afficher son prestige chez ce brave Poznansky qui le couvrait de déférences et de petits cadeaux sans la douleur d'un zloty. Le comédien appréhendait la visite du doyen et de ses adjoints toujours flanqués de fonctionnaires de police, la plupart d'une ânerie hennissante, et parfois même, occasion pour eux de manifester leur morgue goguenarde, d'officiers SS de la place Baluty. Le théâtre

Fantazyor flottait comme un vaisseau fantôme sur les songes des naufragés. Personne n'y tenait la barre. Automates, possédés et saltimbanques se succédaient devant un public somnolent, rompu de faiblesse, mêlant ses rêves aux mirages de la scène.

Tandis que le jeune marionnettiste peaufinait son numéro hypnotique entre deux mélodies ancestrales ranimées par le violon du nain Dumpf, ou que Bolmuche, le fou de Shakespeare, détournait l'attention des forçats et des paperassiers avec les débris tournoyants de sa mémoire, on organisait tant bien que mal la survivance aux coulisses, dans les caves, les greniers, derrière les cloisons. Des enfants sauvés de la grande rafle, tous orphelins, que Rébecca avait adoptés en bloc, des invalides qu'il fallait longtemps choyer, des femmes trop grosses pour cacher leur état, d'un très vieil allumeur de réverbères, le dernier de l'ex-ville de Lodz ; et des partisans d'une résistance toute spirituelle, puisque même Niutek Radzyner, le chef des réseaux, ne misait plus sur les armes et les actions suicidaires. Profesor Glusk et ses étudiants formés à l'esprit de la mythique Haskala continuaient à imprimer les nouvelles de la radio libre sur le peu de papier fourni par des fonctionnaires compromis ou démissionnaires. Il s'agissait de conjecturer chaque matin l'imminente victoire des Alliés avec une foi intacte.

Au secret de ce palais délabré et pourrissant du quartier Baluty, Jan-Matheusza a trouvé refuge dans un recoin du magasin des accessoires. Il y couche sa marionnette avec précaution et attend que la nuit soit profonde pour échapper à la réalité, ce monstre informe qui l'environne. Après le petit banc de la scène et l'errance, des heures entières, dans ces bribes urbaines ceinturées de barbelés, il renonce à comprendre. Ariel et Alter se délient l'un de l'autre. La nuit tend au chaos elle aussi. On entend les sifflets sans appel des trains, les cris mystérieux des disparus et les ululements des sirènes déboussolées dans le fracas de la poussière stellaire. Jan-Matheusza voudrait s'endormir comme Ariel ou Alter, poser son visage sur les eaux noires. Il voudrait mourir, accoucher de son double, s'éteindre comme la ménorah sur les tombes désertées. Meryem n'est pas revenue. Il l'a cherchée longtemps dans les rues du ghetto. C'est si mystérieux de traverser un corps menu, tellement gracile et contre soi immense, de connaître si près sa chaleur. La vie brûle dans les bruines, dans l'oubli et les chansons d'amour. Une main sur sa nuque, Meryem lui avait dit très vite en partant : « Adieu, adieu, on se reverra demain ou jamais. »

La guerre a envahi le monde, on meurt à profusion en mer et sur les terres. Mais le vent tourne, l'Allemagne plie et recule. Le Grossdeutsches Reich voudrait brûler le dernier enfant judéen avant de tout perdre et de sombrer avec ses hochets sanglants. N'y a-t-il d'autre distraction ici-bas que la destruction des Juifs ? Comment se fait-il qu'un seul montreur puisse tirer tant de fils, tant de marionnettes ? Sa mission secrète serait-elle de tuer Ariel et Alter, les petits enfants et les jeunes filles trop maigres ? On ne pardonne qu'au diable à la fin. On néglige tous ceux que la terre recouvre, les hommes et les femmes partis sans comprendre avec leurs valises vides. Profesor Glusk l'a prévenu dans un rêve, demain les Allemands viendront rire au spectacle. Le clown Chaïm n'y pourra rien. Rois ou esclaves, rien ni personne n'a pour eux d'importance. Cache-toi, ne respire plus, c'est bientôt la fin de notre histoire, on ne parlera plus yiddish à Lodz ni ailleurs. Un lait noir sort de la bouche des morts.

L'écho de canonnades couvre les sirènes des usines. On dirait qu'un orage menace. Jan-Matheusza a lavé sa figure dans un baquet d'eau de pluie avant de se coucher à côté du pantin. L'eau peut-elle mouiller l'eau ? Mais il n'a plus de larmes et s'apprête à retourner au chaos des âmes perdues. La veille, on a tiré sur les passants depuis les miradors. Des gestapistes ont mis à genoux sur la chaussée un vieil homme paré du drap de prière et des phylactères avant de lui éclater la boîte crânienne. Jan-Matheusza ne le connaissait pas ; c'était peut-être son père. On voudrait l'empêcher de quitter les coulisses et la scène.

Demain, après shabbat, le Judenrat s'invite au théâtre pour assister au conciliabule d'Ariel et Alter. Mais il n'est pas prêt ; son nouveau spectacle manque par trop de fantaisie et d'apesanteur. « *Well, well!* s'amuse Monsieur Loyal. L'humour, même féroce, doit être sans malice. » Poznansky, qui n'a plus qu'un rôle d'annonceur, adore lui faire la leçon. Il fallait être frivole avec sincérité, ne se moquer que de soi, cacher le malheur aux pauvres gens. Son haleine a une odeur de poulet qu'on vide. Est-ce les mots qui pourrissent ou les dents ? « Porter un public, dit-il gravement, c'est comme faire tenir debout un sac vide. Un vrai tour de magie ! » Sur ses instructions, Jan-Matheusza a répété une semaine de plus son numéro de ventriloquie. Mais c'est assez d'équivoques. Personne n'empêchera Ariel et Alter de faire leur entrée ce soir. En remplacement d'un couple de mimes atteints de la fièvre des prisons.

Minuit, jours déchirés ! Par chance, un rêve bien connu l'enlève jusqu'à l'aube. Deux portes jumelles ouvrent sur un jardin. Par laquelle passer ? Les reflets du soleil, foison de papillons d'or, s'y posent à tire-d'aile. Il ôte sa tunique de tambour et ses autres guenilles et se voit aussitôt enveloppé de nuées étoilées qui scintillent. Plus loin, des branches de myrrhe frôlent ses mains, des roses de toutes sortes le grisent de leurs pensées ; des couronnes de perles, de diamants et d'or de Parvaïm forment comme une chambre de cristal. On lui verse du vin gardé des vignes des premiers jours. À le boire du bout des lèvres, il sent se refermer en lui la plaie des ténèbres. Mais c'est trop de clarté, il ne peut déchiffrer le grand livre que feuillette le vent sur la face du ciel. Pour voir, ses yeux doivent se décoller de la lumière. Grand matin ! Le jour se lève. La fraîcheur des sources qui ruissellent à ses pieds l'éveille une fois de plus.

40.

Quelque chose d'inconcevable se fomentait autour du Ghetto Litzmannstadt reclassé en camp de travail. Une sourde agitation évoquant de grandes manœuvres camouflées sur quelque front inconnu. On savait dans les caves du théâtre Fantazyor que la Russie soviétique s'était entièrement libérée de l'envahisseur, que les partisans de tous les pays occupés reprenaient l'offensive et qu'un général polonais héroïque avait assiégé et conquis la forteresse de Monte Cassino. Par quel mystère le Reich guetté par la défaite, partout sur la défensive, accordait-il la priorité de sa logistique militaire à l'extermination des Juifs? Profesor Glusk eut une réponse déguisée d'ironie.

— C'est que Herr Hitler ne veut pas qu'il reste un seul antisémite après lui!

— Mais les Russes vont l'arrêter? dit Rébecca sans y croire.

— Ils libèreront la Pologne et l'Europe, oui, quand nous ne serons plus là.

— Taisez-vous, je m'en vais! Les gens commencent d'arriver au théâtre, je dois m'occuper des clandestins…

Profesor Glusk à son tour quitta l'endroit après avoir donné des consignes à l'ouvrier typographe qui calait dans un châssis ses compositions à l'aide de noix de serrage et d'un petit maillet : plus un bruit suspect à cette heure ! La vieille presse Stanhope attendrait demain l'impression du journal. Avec, en gros titrage, le déferlement de l'Armée rouge par l'ancienne frontière.

En gagnant la salle de spectacle par l'étroit couloir tournant en forme de point d'interrogation, il songea aux jeunes héros du ghetto de Varsovie ; il en avait connu plusieurs, d'anciens élèves venus achever leurs études à la prestigieuse Universitas Varsoviensis, des scouts sionistes prônant l'exil par tous les moyens, des bundistes sortis des camps familiaux de résistance, des maquisards prêts à tout repliés dans les forêts. Stukas, panzers et lance-flammes avaient détruit les maisons, brûlé les corps, anéanti toute vie. Fallait-il apprendre aux sujets besogneux du roi Chaïm qu'il n'existait plus de quartiers réservés aux Juifs en Pologne, mais des camps de la mort eux aussi réservés, que tous les ghettos étaient maintenant liquidés, fallait-il leur dire l'honneur et l'audace désespérée des insurgés de Cracovie et de Bialystok, de Bedzin, Tarnow, Czestochowa ou Sosnowiec…

Les ouvriers des usines, ateliers et manufactures gérés par le Judenrat et quelques présomptueuses entreprises allemandes, pénètrent en silence dans l'un des derniers havres d'illusion de la juiverie de Lodz, comme on l'appelle de l'autre côté des barbelés.

Prudemment, ils s'installent à l'arrière, près des deux portes de sortie, ou plus encore sur les côtés, laissant vide le milieu du parterre jusqu'aux premières rangées de l'orchestre. Une odeur de sueur et de terre se répand sous les plafonds éteints. Maugréant on ne sait quoi, le père Bolmuche a levé sans motif le rideau avant les trois coups et s'emploie à rajouter des lampes de part et d'autre d'un décor peint d'avant-guerre où l'on voit se perdre une perspective d'automne éternel entre cieux couleur de chrysanthème et forêts de trembles impressionnistes.

Des éclats de voix, des rires sages et l'accueil disert du directeur accouru sur la scène annoncent l'arrivée du roi Chaïm et de son cortège tribal. Rumkowski salue, tout sourire, à droite et à gauche, avec une belle libéralité de gestes malgré l'indifférence quasi générale, avant de s'asseoir d'un bloc, l'air repu, dans l'axe de symétrie de la scène. Un coup d'archet lance *A Yidishe Mame*, mélodie sempiternelle qui coule dans les tympans comme un poison délectable. Avant de rabaisser le rideau, le père Bolmuche s'empresse de déplacer d'un décimètre le petit banc du marionnettiste, histoire de manifester sa présence.

Mais un fracas de portières qu'on claque, de bottes ferrées et de voix intempestives pétrifie l'assemblée. Il arrive que les hauts fonctionnaires de la Schutzstaffel avisés par leurs indicateurs fassent une incursion dans les pacages juifs pour divers motifs, ordinairement irréfléchis, de terreur, d'ennui ou de simple distraction. Une vingtaine d'uniformes sanglés de cuir ont pris place entre les travées occupées par le Judenrat et la scène. Après un vague signe de connivence au doyen qui s'est levé de son siège pour s'incliner, le Reichsstatthalter Arthur Greiser palabre avec Hans Biebow, seul à porter l'habit civil, et un gradé de la Kriminalpolizei, sans égard ni ménagement pour le public massé en fond de salle et qui, sur la réserve, appréhende les préparatifs d'une rafle.

La musique klezmer, violon, clarinette et cymbalum, a toujours l'air d'annoncer quelque facétie. Cette fois le rideau se lève sur les duettistes Ariel et Alter que personne n'ose applaudir. Assis en siamois sur le petit banc, impavides, ils échangent un regard perplexe et balayent des yeux la salle en tournant conjointement la tête.

— Les brutes ont parfois de la délicatesse, dit l'un.

— Elles n'aiment pas qu'on les déconsidère, dit l'autre.

Sur la réserve, dans un coin d'ombre, Profesor Glusk est fasciné par la prouesse du jeune marionnettiste, en admettant qu'Ariel soit bien à main gauche sur le banc. Dans sa redingote à boutons dorés, arborant l'étoile jaune marquée d'un *Jude* fluorescent, il manipule si extraordinairement son pantin travesti en cosaque juif, jouant avec une souplesse féline des tics et des mimiques, que rien ne permet d'accorder à l'un plus qu'à l'autre le statut de créature. Mais c'est Alter, le pillard des steppes, qui s'arroge la parole d'une voix de fausset:

— Sois loué Éternel, Roi de l'univers, Toi qui nous

as créés par ta Justice, Toi qui nous as nourris et entre-
tenus par ta Justice, Toi qui nous as fait mourir par ta
Justice, Toi qui dans ta Justice connais notre nombre
exact, moi compris, et qui un jour nous feras tous
ressusciter par ta Justice. Sois loué Éternel, qui ressus-
cites les morts.

Peu enclin aux bondieuseries, Ariel hausse et
rehausse les épaules.

— C'est drôle, quand je me rappelle… Ils étaient
tous vivants. Quel bruit ils faisaient dans la salle à
manger le soir de Yom Kippour, à rire, à s'engueu-
ler ! Et maintenant, il n'y a plus personne, à part cet
idiot déguisé en antisémite. Moi, j'oublie rien, l'oncle
Fingerhut il m'amuse toujours du fond de son trou.
Fingerhut, le tailleur pour hommes, spécialiste du
costume de Bar Mitzvah. Sur mesure, il m'a coupé
le mien. La honte de ma vie ! Dedans, j'avais l'air d'un
strudel gaufré à la paysanne. On aurait dit le favori de
la mère Pupiklech. La cousine Rachel, elle aussi je
m'en souviens. *Gedenkst ?* La plus belle fille de Lodz !
Elle était amoureuse de moi, et pas trop vilaine ! Elle
habitait dans le même immeuble, juste au-dessous.
Une fois, elle m'a attrapé, comme la grenouille sur
sa feuille de nénuphar quand passe une libellule : d'un
coup de langue.

— C'est toujours la même histoire ! Tu me diras
si je me trompe, elle t'a demandé, *kotla* : « Baba, il
aimerait te parler. » *Kotli*, tu lui as répondu : « Qu'est-
ce qu'il me veut, Baba ? » *Kotla*, elle t'a dit : « Te parler,
c'est tout. » *Kotli :* « Me parler à moi ? »

— Je me suis retrouvé englué dans le miel, elle a voulu me prouver mon bonheur si je l'épousais : beignets de Hanoucca à la douzaine, boulettes de pistaches et de noix, gâteaux aux nouilles ou au fromage blanc, oreilles d'Aman, biscuits fourrés aux graines de pavot… À ce rythme, elle aurait pu avoir trois maris pour le même poids.

— Et sa mère, la tante Ariella, si gentille avec toi qu'elle voulait t'ensevelir sous sa gelée de pied de veau chaque fois qu'elle t'attrapait.

— Mais elle est morte, elle aussi, et j'ai la nostalgie. Ils sont tous morts tranquilles, du diabète, d'apoplexie, du cholestérol, même les vieux ! Trop de fleur de farine, trop d'œufs battus, trop de petits croissants !

— Et moi, ton frère, je ne compte pas, Baba ?

— Avec ta tête ? Quelle tristesse, je meurs sur place ! On dirait un orphelinat à toi tout seul… Maintenant j'attends que la gloire elle me console…

— Mange du cochon et fume à shabbat ! Tu es l'acteur le moins visible au monde, le Robinson Crusoé de la scène. Moins connu que toi, c'est forcément toi !

— *Haltn !* Celui-là il me fait trop peur avec ses yeux de somnambule. Plus sévère que le maître du heder ! Des fois, on croirait que celui-là, il va me tuer, *oy vey !*

— Et toi, Baba, tu me fais trop rire. Une nuit, je me suis réveillé avec des échardes plein les pieds. C'est la culpabilité, il paraît. La culpabilité, c'est quand tu as tué ton frère à coups de couteau dans le dos et qu'il est allé le raconter dans tous les cafés où il joue aux dominos. Que je sois sacrifié pour toi !

— *Oy !* je me rappelle, Lady Macbeth : « Les dormants et les morts ne sont que des images d'hommes. C'est l'œil de l'enfance qui a peur d'un diable peint… »

— Je préfère Desdémone.

— *Barouh Hachem !* Je n'ai rien d'Othello, moi je n'ai tué personne. La pauvre reine est morte à son festin de noces d'une indigestion de poisson noyé dans l'eau de rose, elle a avalé de travers la bague en or cachée dans la carpe, c'était mon cadeau de fiançailles. Dans la pièce montée de choux à la crème aussi, il y avait un bijou. C'est une manie chez nous de farcir les choses et les gens de cadeaux.

— Ton amour vaut mieux que le vin, tes parfums ont une odeur suave. Tes joues sont belles au milieu des colliers. Ton cou est beau au milieu des rangées de perles, ô la plus belle des femmes sur les traces des brebis…

— *Vegn vos hot ir geredt ?* s'écrie Ariel d'une voix décalée. Une ombre immense s'avance vers moi ! C'est la statue du chef de gare à la petite moustache ! Je lui ai promis moi aussi un festin de noces, et je me suis carapaté. Il y a combien de temps de cela, mille, deux mille ans ? Le salut de Dieu arrive en un clin d'œil !

— *Oy !* Pauvre de nous, c'est un spectre, je le reconnais à son pas. Mais fantôme, dibbouk ou diable, je veux savoir qui il est. Ô ciel ! Pourquoi ce changement de figure ? Non, non, rien ne saurait m'imprimer de la terreur, et je veux éprouver s'il s'agit d'un corps ou d'un esprit... Faut-il se rendre à tant de preuves? Non, non, il ne sera pas dit, quoi qu'il advienne, que je sois homme à me repentir. Partons promptement d'ici! Mais revoilà la statue! Que veux-tu de moi encore? Un repas de noces? Écoutez! J'invite tous les gens qui ont une petite faim à notre table. On commence par des filets de hareng, pas vrai? Un torchis de navets, quelques tartines de foies de poulet hachés, et puis la belle carpe ronde que j'assomme, que j'écaille, tranche et cuit au court-bouillon avec deux carottes avant de la farcir, *ei! ei!* mais c'est long. Tu attendras. Voici des *bubele* au sucre... Mange et bois à ta guise sur ces tables de marbre! *Er frest vi a ferd...* Et pourquoi je te donnerais aussi la main? Toutes ces bonnes choses ne te suffisent pas? Ô ciel! *A klog iz mir!* Que sens-je? Un feu invisible me brûle...

– Tu nous embrouilles avec Don Juan! Un poisson sur toi! Tu mangeras des pierres. Chantons plutôt! Violons, cymbales, trompettes, réveillez-vous...

Ne dis jamais que c'est ton dernier chemin
Malgré les cieux de plomb qui cachent le bleu du
jour
Car sonnera pour nous l'heure tant attendue
Nos pas feront retentir ce cri : nous sommes là
Le soleil illuminera notre présent
Les nuits noires disparaîtront avec l'ennemi
Et si le soleil devait tarder à l'horizon
Ce chant se transmettra comme un appel...

Dans la salle ébahie qu'une rumeur traverse, les quelques gloussements et hoquets retenus se répandent çà et là, gonflent et éclatent brusquement en une franche hilarité. Certains osent reprendre en sifflotant l'air du *Partizanenlied*.

— *Mir zaynen do!* s'exclame quelqu'un follement.

Furibond, Arthur Greiser s'est dressé hors de son siège. Hans Biebow et autres subalternes l'imitent aussitôt, les yeux rivés sur le Reichsstatthalter. Chaïm Rumkowski, alarmé, se lève à son tour avec embarras et secoue les bras en s'égosillant vers la salle :

— *Shvaygn! Shvaygn! Oy Shvaygn!*

Un coup de feu éclate alors, provoquant une clameur d'effroi et d'indignation dans l'assistance. Arthur Greiser tranquillement rengaine son Mauser. D'un geste dégagé, il donne le signal du départ aux officiers qui l'accompagnent.

Une balle en plein cœur, juste au milieu de l'étoile, Ariel s'est affaissé ; sa tête heurte le bord du petit banc. Après cette seconde de sidération figeant toute chose, Profesor Glusk a juste le temps de voir la marionnette s'abattre à son tour, avec une étrange lenteur. Le rideau de scène tombe d'un coup, soulevant une poussière grise, au milieu des cris et des pleurs. C'est bientôt la panique dans l'obscurité. Un rabbi glabre se redresse et entonne posément le kaddish, à toute fin utile.

Épilogue

La radio captée clandestinement dans les ultimes
foyers de résistance revint ce matin-là sur les récentes
victoires russes et l'avancée des forces alliées depuis les
côtes normandes, comme s'il s'agissait d'une opération concertée de reconquête. La brise printanière était
empreinte d'espoir malgré les récentes déportations,
deux mois plus tôt, vers le camp de travail de Czestochowa. Mendel Grossmann et Henryk Ross, tous deux
photographes aux bureaux de la propagande et de
l'identité, travaillaient en secret avec certains chroniqueurs des archives pour mener à bien l'instruction
d'un procès dont ils pouvaient douter de l'échéance :
les pièces à conviction ne manquaient pas, si criantes
et éclatantes que le monde risquait de s'en trouver
longtemps sourd et aveugle.

Cependant les nouvelles prometteuses des champs
de bataille d'Europe et d'ailleurs étaient radicalement
dédites et révoquées par les transactions confidentielles
entre les administrations du ghetto, les services du
Regierungspräsident et les hauts responsables du Reich
aux affaires juives et à la logistique de la Solution
finale, de cette *Endlösung* programmée de longue date

par l'Obergruppenführer Reinhard Heydrich et mise en œuvre avec une rigueur monomaniaque par tous les dignitaires de la Schutzstaffel en deuil du bourreau de Prague. Le Reich en déroute devait gagner coûte que coûte la seule bataille qui lui importait encore : l'anéantissement du peuple juif. Un empire qui s'effondre exacerbe jusqu'au déni ses forces de destruction.

Évacués ou rasés, leurs populations massivement convoyées vers les camps, les ghettos entraient à leur tour en zone *judenrein*. En ce bel été 1944, il en restait pourtant un, le dernier de Pologne, où soixante-dix mille survivants soumis aux pires chantages à la survie travaillaient comme des forcenés sans rien savoir du décret signé par l'omnipotent Reichsführer Heinrich Himmler et cosigné par l'Obersturmbannführer Adolf Eichmann, administrateur général du transport des déportés ainsi que par le Reichsstatthalter. Le complexe industriel édifié par le roi Chaïm n'était plus indispensable à l'économie de guerre.

En quittant le théâtre Fantazyor où Arthur Greiser s'était invité pour *ein Teil von* rigolade, Hans Biebow s'inquiéta vivement de sa désinvolture.

— Êtes-vous fou, *lieber* Reichsstatthalter ? Comment voulez-vous que j'endorme les soupçons de la population si vous lui tirez dessus avant l'heure du traquenard ?

— Laisseriez-vous impunément *einen verdammten jüdischen Vogel* bafouer notre Fürher ? lui avait rétorqué l'officier. Ce Juif devrait me bénir d'avoir eu une si belle mort.

Mais personne n'était allé réclamer le *nid du coucou*, comme jadis l'impérieux duc de Wurtemberg auquel on céda la forêt par prudence. À peine le rideau tombé, la marionnette et le marionnettiste avaient disparu de la scène sous l'œil mi-clos du père Bolmuche, pauvre acteur inaudible qui avait fait son heure et dont on n'écoutait plus l'histoire pleine de bruit et de fureur.

Par les couloirs et les escaliers, par les ruelles et les chantiers de ruines, le long des murailles lépreuses et jusqu'aux tôles noires d'un portail dégondé, furtivement, passe l'ombre à deux têtes et quatre bras. Le feu n'est pas couvert pour l'âme égarée. Sans crainte aucune, dans un rêve déjà cent fois rêvé, Alter remonte les allées du cimetière de Marysin sous un vol bas de freux. Les crépuscules d'été s'étirent dans la mémoire. Croyant ranimer sous ses pas des ossements d'où s'élève une rumeur de foule, il va sans plus de hâte, le cœur perforé, entre les stèles d'anciennes tombes gravées d'inscriptions et de motifs, aiguières, mains jointes, couronnes ou chandeliers. À l'autre bout, le long du mur d'enceinte, les sépultures des enfants s'étendent sur trois rangées de tumulus où penchent d'étroits panonceaux de fer ou d'ardoise. Le buste fléchi, serrant contre lui la tunique aux boutons dorés, Alter cherche des yeux un espace encore libre, une encoignure, un renfoncement où creuser. Il s'agenouille tout contre le mur, entre un écriteau sans nom où lire « Que son âme soit reliée au faisceau de la vie » et un autre fraîchement planté parmi les touffes d'ortie avec les mots « Jamais plus » en lettres hébraïques. Alter n'a pas à creuser longtemps ; la terre molle s'ouvre sous ses doigts, elle s'affaisse en un losange parfait au fond duquel il pousse et glisse très doucement le corps d'Ariel sans perdre des yeux l'immense visage aux paupières de soie, les mains blanches ouvertes et l'étoile jaune perforée sur la tunique de tambour. On ne tue pas un ange de bois et de chiffon ! C'est en pleurant de rage et de désolation qu'il repousse la terre accumulée des bords sans parvenir à combler la fosse. Au moyen d'une pelle au manche brisé qu'il va quérir dans une resserre, Alter poursuit longtemps son œuvre de fossoyeur ; mais le losange à peine rempli s'affaisse à nouveau, comme si la tombe l'appelait, comme si Ariel voulait lui faire une place. Il s'acharne ainsi jusqu'à la nuit, charriant la terre des accotements et tassant, tassant sans cesse, avant de reprendre conscience. La fosse est maintenant enclose sur le bel Ariel, son frère jumeau rattrapé des flammes. Qui se souviendra de lui ?

La pelle remise en place, Alter chemine calmement, comme acquitté, l'esprit lavé, vers son premier refuge. La lune s'est levée sur les cénotaphes et les mausolées. En forme de kiosque ouvert ou de temple grec, celui des Poznansky recèle une sorte de chapelle ou plutôt de *shtibl* circulaire desservi par un escalier hélicoïdal, de l'autre côté d'une porte basse qu'un manteau de lierre dissimule. Alter se souvient brusquement du juvénile Éliezer, de sa docte candeur, de sa pudeur de fille. Qu'est devenu le fils du tsadik ? Et Meryem, la renarde efflanquée revenue lui mordre la nuque ? À l'intérieur de l'édifice faiblement ajouré de clair de lune, personne ne l'attend, pas même son double. Il vient d'enterrer son ombre de lumière. La vie est la moitié d'un rêve. Mais Ariel l'a quittée pour l'autre moitié. Un trou dans le cœur, Alter fredonne, prêt à tomber de faiblesse.

> *Une cerise*
> *Une cerise*
> *Et deux noyaux*
> *Et deux noyaux...*

Comment, par une claire nuit d'été, s'endormir dans un tombeau ? Aux premières lueurs de l'aube, quand un profond sommeil s'empare enfin de l'adolescent, les sirènes qui lacèrent le silence n'appellent pas les esclaves au travail, mais les familles consignées pour le grand départ, les hommes et les femmes, tous les Juifs sans distinction. Jusqu'au mois de juillet, elles hurleront pareillement avec des quotas toujours moindres, contraignant les services de police du Judenrat à bloquer les rues, quartier par quartier, et à rafler passants ou habitants sur leur seuil pour répondre aux sommations de l'occupant. En partance de la gare de Radogoszcz ou de retour de Chelmno, les trains ne cessent plus de siffler. Comment dormir en plein été quand on brûle des innocents par millions, sans pourquoi, machinalement, l'esprit plus vide que le ciel, pour complaire au Wotan migraineux de Berlin ?

Averti de l'incompréhensible disparition de Jan-Matheusza, dit Ariel, laquelle avait toutes les apparences d'un numéro de prestidigitation, Profesor Glusk s'était vainement employé à retrouver sa trace à travers les coins et recoins du ghetto avant d'être reconnu et arrêté par les agents de la Kripo. En détention, torturé, menacé d'exécution immédiate, il garda jusqu'au bout le secret, un sourire inextinguible aux lèvres, en songeant au bon tour du jeune marionnettiste visé au cœur par les assassins et volatilisé comme un esprit mutin.

Le 2 août 1944, les centaines de fonctionnaires du Judenrat délégués au service d'affichage s'effraient à lire l'annonce qu'ils placardent diligemment sur chaque porte, dans chaque édifice public : « Sur ordre de nos protecteurs de l'Ortskommandantur, toute la population du Ghetto Litzmannstadt doit être transférée dans divers camps de travail, le premier départ étant prévu demain, jeudi 3 août. Nos concitoyens désignés devront se rendre avec la plus grande discipline place du marché pour l'appel, au jour et à l'heure notifiés, munis de leurs effets dûment empaquetés et immatriculés, à raison de douze kilos par individu. » Aucune des cinq mille personnes convoquées pour le lendemain ne se présenta. Le doyen et Hans Biebow colportèrent de conserve maints discours appelant à la raison et à la bonne volonté. Comme il n'y eut pas davantage de réaction, le Regierungspräsident Friedrich Uebelhoer qui devait rendre des comptes à ses maîtres du Reichstag laissa la Waffen-SS investir le ghetto avec un seul mot d'ordre : liquidation. Après trois semaines de déportation vers les camps d'Auschwitz-Birkenau et de Ravensbrück, celui de Chelmno étant engorgé, les colonnes armées de la Geheime Staatspolizeine ne firent plus le tri entre fonctionnaires et ouvriers, policiers juifs et civils : tout le monde devait partir au diable, sans exception aucune.

Par munificence ou récréation, Hans Biebow laissait le doyen se promener dans sa calèche à travers son royaume dévasté. Le 24 août, Chaïm Mordechai Rumkowski, toujours luxueusement vêtu, l'air d'un Bürgermeister en campagne, donna son dernier discours devant un public considérablement réduit. Lui-même déporté avec sa famille une semaine plus tard, il bénéficiera à sa demande, et grâce à l'intervention facétieuse de Biebow, d'un compartiment dans un wagon de première classe raccordé aux fourgons à bestiaux où furent entassés le reliquat des ultimes rafles à destination d'Auschwitz. On raconte qu'à peine descendu du train, le roi Chaïm fut aussitôt bousculé jusqu'au camp par les Waffen-SS. Aux portes des chambres à gaz, reconnu comme leur tyran et dénonciateur, il fut battu à mort par des membres d'un Sonderkommando affecté au *Krematorium*, lesquels ne lui survécurent pas.

Le Ghetto Litzmannstadt ne pouvait pas encore être déclaré *judenrein*. Aux ordres de Hans Biebow, quelques centaines de fonctionnaires juifs organisés en équipes de démontage des machines, de récupération des biens privés et de nettoyage, durent trembler d'espoir avant d'être déportés à leur tour à Ravensbrück. Les ultimes résidents encore utiles à l'occupant eurent pour office, l'hiver venu, de creuser des tranchées au cimetière : Hans Biebow, en perspective d'un ordre de repli, envisageait de les faire ensevelir au moment voulu, après exécution. Mais au terme de longues et funestes tergiversations, les troupes soviétiques se décidèrent enfin à libérer la ville de Lodz, le 19 janvier de l'an 1945. Cachés dans les sous-sols, derrière les fausses cloisons, au fond de réduits, dans les arrière-cours, les hangars et les édifices publics désaffectés, voire les caveaux des deux cimetières, quelques poignées de survivants revinrent au grand jour pour oublier, mourir ou témoigner. Avec, parmi eux, la belle Rébecca et maints enfants en bas âge, les photographes Mendel Grossmann et Henryk Ross, le résistant Niutek Radzyner, Moyshe Lewkowicz qui sauva la mémoire scripturaire de l'écrivain déporté Oskar Rosenfeld, des artistes, des patriotes, des bundistes et des sionistes, la plupart polonais de vieille souche, des pauvres gens dépouillés de tout qui se demanderont longtemps, sans fin, jusqu'à leur disparition, quel sera le pays, la ville, le village où on les laisserait enfin vivre en paix. Faut-il s'étonner qu'une partie des rescapés du programme génocidaire, tournés depuis deux millénaires vers Yeroushalaïm, ait pris le chemin de l'exil, prête à rejouer sa survie à quitte ou double sans prendre garde aux pièges de l'Histoire, et qu'une autre partie aussi conséquente ait tenté la réconciliation en Pologne et ailleurs, dans ce continent des cendres vives qui fut sien et le demeure ? Et qu'une autre encore, invisible, cherche toujours dans les calmes nuages des songes les huit degrés de la charité ? « On peut rendre le rêve plus grand que la nuit », dit un proverbe yiddish.

En guise de glossaire

On trouve çà et là dans ce roman diverses interjections, quelques jurons, des comptines, des bouts de phrase en yiddish, hébreu, polonais, allemand : fallait-il renvoyer studieusement le lecteur à un lexique ? Il est certes utile de savoir que *Hachem* n'est pas l'un des noms imprononçables de Dieu, mais la manière de le désigner sans le nommer, comme on dirait : « qui vous savez » ; qu'un *Farbrenguen* est un grand raout spirituel de hassidim, ces fous de Dieu, rassemblés pour chanter, danser et communier dans la ferveur confiante de leur foi, de la *Emouna*, cette façon unique d'intérioriser la présence de Hachem au plus vivant de soi ; que le *heder* (chambre, en hébreu) n'est autre que l'école où l'on enseigne aux plus jeunes ; la *yeschiva*, où le *Rav* (le rabbin) professe, étant réservée à l'étude du Talmud (ou plutôt à sa pratique, le mot Talmud signifiant lui-même étude) ; que le *hazzan* est le chantre, le cantor des synagogues... Cependant tous ces mots et expressions n'ont pas vraiment besoin d'être définis, puisque le contexte les éclaire le plus souvent, ou alors ce qui est énoncé sans paraphrase explicative – lors d'un échange de violence verbale par exemple – tombe littéralement *sous le sens*, dans une langue ou l'autre. Si simples pour dire l'inquiétude et la tendresse, les comptines quant à elles sont plus audibles en yiddish : on en comprend l'essentiel par la musique des syllabes. Les langues sont des sortes de partitions imagées qui se laissent entendre à demi-mots.

À propos d'un monstre et un chaos

Comment la vieille Europe a-t-elle pu se trouver prise en otage et mise à mal abominablement au siècle dernier ? Oubliera-t-on jamais les mille et cent, les millions d'enfants du ghetto qui parlaient yiddish, cet espéranto d'exil où les langues allemande et hébraïque s'éprennent l'une de l'autre, mêlées d'apports slaves et d'intonations latines. Les mille et cent, les millions d'enfants furent on le sait exterminés et le yiddish s'est éteint dans leurs cendres comme une braise, avec les plus beaux chants. Comment est-il possible que le spectre de l'antisémitisme, marqué du sceau génocidaire, revienne nous hanter aujourd'hui un peu partout en Europe et dans le monde ?

Penseur et concepteur génial déchiré par la conscience de sa finitude face au crâne ouvert du cosmos, Blaise Pascal au temps jadis avançait : « *Quelle chimère est-ce donc que l'homme ? Quelle nouveauté, quel monstre, quel chaos, quel sujet de contradiction, quel prodige ! Juge de toutes choses, imbécile ver de terre, dépositaire du vrai, cloaque d'incertitude et d'erreur : gloire et rebut de l'univers.* » Il n'y avait pour ce penseur des gouffres qu'un recours contre cette monstruosité chaotique qui couve au fond de chaque homme, *la religion* – on aimerait penser après les mille bûchers qu'il prenait le mot dans sa désinence étymologique où s'enlacent les notions du relier (*religare*) et du (re)cueillir (*relegare*).

Friedrich Nietzsche (pour qui « rien ne s'est passé » en philosophie depuis l'auteur des *Pensées*) l'a bien lu et compris à sa manière : « *Sans la foi chrétienne, pensait Pascal, vous serez pour vous-mêmes, comme la nature et l'histoire, un monstre et un chaos : nous avons réalisé cette prophétie.* » L'effondrement éthique et la plus glaçante entropie guettent en effet un monde privé de lien, de recours à l'altérité, seule transcendance digne de foi, un monde d'endoctrinement et de terreur où l'individu mystifié rejette son appartenance à l'humaine condition au point d'en vouloir détruire les âmes et les visages. *Qui démêlera cet embrouillement ?* Disons tout bonnement que l'homme, privé de simple humanité, n'est qu'*un monstre et un chaos.*

H. H.

TABLE

____

Un monstre et un chaos

▲

En guise de glossaire

▲

À propos d'un monstre et un chaos

▲

ROMANS ET RÉCITS

Un rêve de glace, Albin Michel, 1974 ; Zulma, 2006.

La Cène, Albin Michel, 1975 ; Zulma, 2005 ; Le Livre de Poche, 2011.

Les Grands Pays muets, Albin Michel, 1978.

Armelle ou l'Éternel retour, Puyraimond, 1979 ; Le Castor Astral, 1989.

Les Derniers Jours d'un homme heureux, Albin Michel, 1980.

Les Effrois, Albin Michel, 1983.(Prix Georges Bernanos)

La Ville sans miroir, Albin Michel, 1984.

Perdus dans un profond sommeil, Albin Michel, 1986.

Le Visiteur aux gants de soie, Albin Michel, 1988.

Oholiba des songes, La Table Ronde, 1989 ; Zulma, 2007.

L'Âme de Buridan, Zulma, 1992 ; Mille et Une Nuits, 2000.

Le Chevalier Alouette, Éditions de l'Aube, 1992 ; Fayard, 2001.

Meurtre sur l'île des marins fidèles, Zulma, 1994. (Prix des Administrateurs maritimes)

Le Bleu du temps, Zulma, 1995 et 2018.

La Condition magique, Zulma, 1997 et 2014. (Grand Prix du roman de la SGDL)

L'Univers, Zulma, 1999 et 2009 ; Pocket, 2003.

La Vitesse de la lumière, Fayard, 2001.

Le Ventriloque amoureux, Zulma, 2003.

La Double Conversion d'Al-Mostancir, Fayard, 2003.

La culture de l'hystérie n'est pas une spécialité horticole, Fayard, 2004.

Le Camp du bandit mauresque, Fayard, 2005.

Palestine, Zulma, 2007 ; Le Livre de Poche, 2009 ; Folio, 2015. (Prix des Cinq Continents de la Francophonie 2008 ; Prix Renaudot Poche 2009)

Géométrie d'un rêve, Zulma, 2009 ; Le Livre de Poche, 2010.

Opium Poppy, Zulma, 2011 ; Folio, 2013. (Prix du Cercle Interallié 2012)

Le Peintre d'éventail, Zulma, 2013 ; Folio, 2014. (Prix Louis Guilloux 2013 ; Grand Prix SGDL de littérature 2013 pour l'ensemble de l'œuvre ; Prix Océans France Ô)

Théorie de la vilaine petite fille, Zulma, 2014 ; Folio, 2016.

Corps désirable, Zulma, 2015 ; Folio, 2018.

Mā, Zulma, 2015 et 2017.

Les Coïncidences exagérées, Mercure de France, 2016.

Premières neiges sur Pondichéry, Zulma, 2017.

Casting sauvage, Zulma, 2018.

NOUVELLES

La Rose de Damoclès, Albin Michel, 1982.

Le Secret de l'immortalité, Critérion, 1991 ; Mille et une nuits, 2003.(Prix Maupassant 1991)

La Falaise de sable, Éditions du Rocher, 1997. (Prix Georges Oulmont 1998)

Mirabilia, Fayard, 1999. (Prix Renaissance de la nouvelle 2000)

Quelque part dans la Voie lactée, Fayard, 2002.

La Vie ordinaire d'un amateur de tombeaux, Éditions du Rocher, 2004.

La Belle Rémoise, Dumerchez, 2001 ; Zulma, 2004.

Vent printanier, Zulma, 2010.

Nouvelles du jour et de la nuit : le jour, Zulma, 2011.

Nouvelles du jour et de la nuit : la nuit, Zulma, 2011.

La Bohémienne endormie, Invenit, 2012.

Géographie des nuages, Guérin, 2016.

ESSAIS

Michel Fardoulis-Lagrange et les évidences occultes, Présence, 1979.
Michel Haddad, 1943/1979, Le Point d'être, 1981.
Julien Gracq, la forme d'une vie, Le Castor Astral, 1986 ; Zulma, 2004.
Saintes-Beuveries, José Corti, 1991.
Leonardo Cremonini ou la nostalgie du Minotaure, Claude Bernard, 1991.
Gabriel García Márquez, Marval, 1993.
Les Danses photographiées, Armand Colin, 1994.
René Magritte, coll. Les Chefs-d'œuvre, Hazan, 1996.
Du visage et autres abîmes, Zulma, 1999.
Le Jardin des peintres, Hazan, 2000.
Les Scaphandriers de la rosée, Fayard, 2000.
Le Cimetière des poètes, Éditions du Rocher, 2002.
Le Nouveau Magasin d'écriture, Zulma, 2006.
Le Nouveau Nouveau Magasin d'écriture, Zulma, 2007.
Comme un étrange repli dans l'étoffe des choses, La Bibliothèque, 2017.

THÉÂTRE

Kronos et les marionnettes, Dumerchez, 1991.
Tout un printemps rempli de jacinthes, Dumerchez, 1993.
Le Rat et le Cygne, Dumerchez, 1995.
Visite au musée du temps, Dumerchez, 1996.

POÉSIE

Le Charnier déductif, Debresse, 1968.
Retour d'Icare ailé d'abîme, Thot, 1983.
Clair venin du temps, Dumerchez, 1990.

Crânes et Jardins, Dumerchez, 1994.
Les Larmes d'Héraclite, Encrages, 1996.
Le Testament de Narcisse, Dumerchez, 1997.
Une rumeur d'immortalité, Dumerchez, 2000.
Le Regard et l'Obstacle, Rencontres, 2001.
(en regard du peintre Eugène van Lamswerde)
Petits Sortilèges des amants, Zulma, 2001.
Ombre limite, L'Inventaire, 2001.
Oxyde de réduction, Dumerchez, 2008.
Errabunda ou les Proses de la nuit, Éoliennes, 2011.
Les Haïkus du peintre d'éventail, Zulma, 2013.
La Verseuse du matin, Dumerchez, 2013. (Prix Mallarmé 2014)
Table des neiges, Circa 1924, 2014.
L'êcre et l'étrit, Jean Michel Place, 2016.

CHEZ LE MÊME ÉDITEUR
Dernières parutions

Jacques Stephen ALEXIS
L'étoile Absinthe

AMBAI
De haute lutte
traduit du tamoul (Inde) par Dominique Vitalyos
et Krishna Nagarathinam

Abdelaziz BARAKA SAKIN
Le Messie du Darfour
traduit de l'arabe (Soudan) par Xavier Luffin

Vanessa BARBARA
Les Nuits de laitue
traduit de portugais (Brésil) par Dominique Nédellec

Benny BARBASH
My First Sony
Little Big Bang
Monsieur Sapiro
traduits de l'hébreu par Dominique Rotermund
La vie en cinquante minutes
traduit de l'hébreu par Rosie Pinhas-Delpuech

A. Igoni BARRETT
Love is Power, ou quelque chose comme ça
traduit de l'anglais (Nigeria) par Sika Fakambi

Vaikom Muhammad BASHEER
Grand-père avait un éléphant
Les Murs et autres histoires (d'amour)
Le Talisman
traduits du malayalam (Inde)
par Dominique Vitalyos

Auður Ava ÓLAFSDÓTTIR
Rosa candida
L'Embellie
L'Exception
Le rouge vif de la rhubarbe
Ör
traduits de l'islandais par Catherine Eyjólfsson
Miss Islande
traduit de l'islandais par Éric Boury

Makenzy ORCEL
Les Immortelles
L'Ombre animale
Maître-Minuit

Miquel DE PALOL
Le Jardin des Sept Crépuscules
traduit du catalan par François-Michel Durazzo

Nii Ayikwei PARKES
Notre quelque part
traduit de l'anglais (Ghana) par Sika Fakambi

Serge PEY
Le Trésor de la guerre d'Espagne
La Boîte aux lettres du cimetière

Ricardo PIGLIA
La Ville absente
Argent brûlé
traduits de l'espagnol (Argentine)
par François-Michel Durazzo

Zoyâ PIRZÂD
Comme tous les après-midi
On s'y fera
Un jour avant Pâques
Le Goût âpre des kakis

Evangelia
traduit de l'espagnol (Mexique)
par Inés Introcaso

Abdourahman A. WABERI
La Divine Chanson
Aux États-Unis d'Afrique

Benjamin WOOD
Le Complexe d'Eden Bellwether
traduit de l'anglais (Royaume-Uni) par Renaud Morin

ZHANG Yueran
Le Clou
traduit du chinois par Dominique Magny-Roux

LA COUVERTURE DE
Un monstre et un chaos
A ÉTÉ CRÉÉE PAR DAVID PEARSON
ET IMPRIMÉE SUR OLIN ROUGH
EXTRA BLANC PAR L'IMPRIMERIE
FLOCH À MAYENNE.

LA COMPOSITION,
EN GARAMOND ET MRS EAVES,
ET LA FABRICATION DE CE LIVRE
ONT ÉTÉ ASSURÉES PAR LES
ATELIERS GRAPHIQUES
DE L'ARDOISIÈRE
À BÈGLES.

IL A ÉTÉ REPRODUIT SUR LAC 2000
ET ACHEVÉ D'IMPRIMER EN FRANCE PAR NORMANDIE ROTO
IMPRESSION S.A.S. À LONRAI
LE 5 AOÛT DEUX MILLE DIX-NEUF
POUR LE COMPTE DES ÉDITIONS
ZULMA, VEULES-LES-ROSES.

978-2-84304-871-5
N° D'ÉDITION : 871
DÉPÔT LÉGAL : AOÛT 2019

❋

NUMÉRO
D'IMPRIMEUR
1902197

❋

IMPRIMÉ EN FRANCE